D1106994

DEUTSCHE BALLADEN

VOLKS- UND KUNSTBALLADEN
BÄNKELSANG, MORITATEN

Herausgegeben
und mit einem Nachwort versehen
von Hans Peter Treichler

MANESSE VERLAG
ZÜRICH

Die Deutsche Bibliothek – CIP-Einheitsaufnahme

Deutsche Balladen:
Volks- und Kunstballaden, Bänkelsang, Moritaten
hrsg. und mit einem Nachw. vers.
von Hans Peter Treichler
Zürich: Manesse Verlag, 1993
(Manesse Bibliothek der Weltliteratur)
ISBN 3-7175-1840-2 Gewebe
ISBN 3-7175-1841-0 Ldr.

NE: Treichler, Hans Peter [Hrsg.]

TEIL I

Volksballaden, Moritaten, Bänkelsang

Deutscher Liederhort[1]

Tannhäuser

Nun will ich aber heben an,
Von Tannhäuser woll'n wir singen,
Und was er Wunder hat getan
Mit Frau Venusinnen.

Tannhäuser war ein Ritter gut,
Er wollt' groß Wunder schauen,
Da zog er in Frau Venus' Berg
Zu andern schönen Frauen.

«Herr Tannhäuser, Ihr seid mir lieb,
Daran sollt Ihr gedenken;
Ihr habt mir einen Eid geschworn,
Ihr wollt nicht von mir wenken.»

Und da ein Jahr herumme war,
Sein Sünden begunden ihm leiden:
«Ach Venus, edle Fraue zart,
Ich will wieder von Euch scheiden.»

«Herr Tannhäuser, wie sagt Ihr mir,
Ihr sollet bei uns bleiben,
Ich geb' Euch meiner Gespielen ein'
Zu einem ehelichen Weibe.»

«Nehme ich dann ein ander Weib,
Als ich hab' in meinen Sinnen,
So muß ich in der Höllen Glut
Da ewiglich verbrinnen.»

«Du sagst mir von der Hölle Glut,
Du hast es doch nicht befunden.
Gedenk an meinen roten Mund,
Der lacht zu allen Stunden.»

«Was hilft mir Euer roter Mund,
Er ist mir gar unmäre*;
Nun gib mir Urlaub, Frau Venus zart,
Durch aller Frauen Ehre!»

«Herr Tannhäuser, nicht sprecht also,
Ihr seid nicht wohl bei Sinnen:
Nun laßt uns in ein Kammer gahn
Und spielen der heimlichen Minnen.»

«Euer Minne ist mir worden leid,
Ich hab' in meinem Sinne,
O Venus, edle Jungfrau zart,
Ihr seid ein Teufelinne.»

---

* widerwärtig

«Tannhäuser, wie sprecht Ihr also,
Besteht Ihr mich zu schelten?
Sollt Ihr noch länger bei uns sein,
Des Worts müßt Ihr entgelten.»

«Frau Venus, nein, das will ich nicht,
Ich mag nicht länger bleiben;
Maria Mutter, reine Magd,
Nun hilf mir von den Weibern!»

Der Tannhäuser zog wieder aus dem Berg
In Jammer und in Reuen:
«Ich will gen Rom in die Stadt
All auf den Papst vertrauen.»

Nun fahr' ich fröhlich auf die Bahn,
Gott muß es immer walten!
Zu einem Papst, der heißt Urban[2],
Ob er mich wollt' behalten.

«Herr Papst, geistlicher Vater mein,
Ich klag' Euch meine Sünde,
Die ich mein Tag begangen hab',
Als ich Euch will verkünden.

Ich bin gewest ein ganzes Jahr
Bei Venus, einer Frauen,
Nun muß ich Reu' und Buß' empfahn,
Ob ich möcht' Gott anschauen.»

Der Papst hat einen Stecken weiß,
Der war vom dürren Zweige:
«Wann dieser Stecken Blätter trägt,
So seind dir deine Sünde verziehen!»

«Sollt' ich leben nicht mehr dann ein Jahr,
Ein Jahr auf dieser Erden,
So wollt' ich Reu' und Buß' empfahn
Und Gottes Gnad' erwerben.»

Da zog er wieder aus der Stadt
In Jammer und in Leiden:
«Maria Mutter, reine Magd,
Muß ich mich von dir scheiden!

So zieh' ich wieder in den Berg
Ewiglich und ohn' Ende,
Zu Venus, meiner Frauen, zart,
Wo mich Gott will hin senden.»

«Seid willkommen, Tannhäuser gut!
Ich hab' Euch lang entboren;
Seid willkommen, mein liebster Herr
Und Held, mein Auserkoren!»

Darnach wohl auf den dritten Tag
Der Stecken hub an zu grünen;
Da sandt' man Boten in alle Land,
Wohin der Tannhäuser wär' kommen.

Da ward er wieder in den Berg,
Darin sollt' er nun bleiben
So lang, bis an den Jüngsten Tag,
Wo ihn Gott will hinweisen.

Das soll nimmer kein Priester tun,
Dem Menschen Mißtrost geben;
Will er denn Buß' und Reu' empfahn,
Seine Sünde seind ihm vergeben.

Es waren zwei Königskinder[3]

Es waren zwei Königskinder,
Die hatten einander so lieb;
Sie konnten zusammen nicht kommen,
Das Wasser war viel zu tief.

«Ach Liebster, könntest du schwimmen,
So schwimm doch herüber zu mir!
Drei Kerzen will ich anzünden,
Und die sollen leuchten zu dir.»

Das hört' ein falsches Nönnchen,
Die tät', als wenn sie schlief';
Sie tät' die Kerzlein auslöschen,
Der Jüngling ertrank so tief.

Es war an ei'm Sonntagmorgen,
Die Leut' waren alle so froh;
Nicht so die Königstochter,
Ihr Augen saßen ihr zu.

«Ach Mutter, herzliebste Mutter,
Mein Kopf tut mir so weh!
Ich möcht' so gern spazieren
Wohl an die grüne See.»

«Ach Tochter, herzliebste Tochter,
Allein sollst du nicht gehn,
Weck auf dein jüngste Schwester,
Und die soll mit dir gehn!»

«Ach Mutter, herzliebste Mutter,
Meine Schwester ist noch ein Kind,
Sie pflückt ja all die Blümlein,
Die auf Grünheide sind.»

«Ach Tochter, herzliebste Tochter,
Allein sollst du nicht gehn,
Weck auf dein jüngsten Bruder,
Und der soll mit dir gehn!»

«Ach Mutter, herzliebste Mutter,
Mein Bruder ist noch ein Kind,
Der schießt ja all die Vöglein,
Die auf Grünheide sind.»

Die Mutter ging nach der Kirche,
Die Tochter hielt ihren Gang,
Sie ging so lang spazieren,
Bis sie den Fischer fand.

«Ach Fischer, liebster Fischer,
Willst du verdienen groß Lohn,
So wirf dein Netz ins Wasser
Und fisch mir den Königssohn!»

Er warf das Netz ins Wasser,
Er ging bis auf den Grund;
Er fischte und fischte so lange,
Bis er den Königssohn fand.

Sie schloß ihn in ihre Arme
Und küßt' seinen bleichen Mund:
«Ach Mündlein, könntest du sprechen,
So wär' mein jung Herze gesund!»

Was nahm sie von ihrem Haupte?
Ein goldne Königskron':
«Sieh da, du wohledler Fischer,
Hast dein verdientes Lohn!»

Was zog sie von ihrem Finger?
Sein Ringlein von Gold so rot:
«Sieh da, du wohledler Fischer,
Kauf deinen Kindern Brot!»

Sie schwang sich um ihren Mantel
Und sprang wohl in die See:
«Gut Nacht, mein Vater und Mutter,
Ihr seht mich nimmermeh!»

Da hört man Glöcklein läuten,
Da hört man Jammer und Not,
Hier liegen zwei Königskinder,
Die sind alle beide tot!

Ulrich und Ännchen

Es ritt ein Reiter wohl durch das Ried,
Er schwenkt' sich um und sang ein Lied,
Ein Lied von dreierlei[4] Stimmen,
Das drüben im Walde tät' klingen.

Schön Annele auf der Zinne stund
Und hörte, wie schön er singen kunnt:
«Ach könnt' ich doch singen wie der,
Ich gäb' ihm mein Treu' und mein Ehr'!»

«Schöne Jungfrau, wollt Ihr mit mir gahn,
Ich will Euch lehren, was ich kann:
Ein Lied von dreierlei Stimmen,
Das drüben im Walde tut klingen.»

Er nahm sie bei dem Gürtelschloß
Und schwang sie hinter sich auf sein Roß,
Er ritt gar eilend und balde
Zu einem stockfinsteren Walde.

Sie kamen zu einem Haselstrauch,
Darauf da saß ein Turteltaub';
Das Täubchen fing an zu ruggieren:
«Brauns Mädchen, er will dich verführen.»

«Schweig still! Du lügst in deinen Kragen.
Wir wollen weiter vorwärts traben
Zu einem kühlen Waldbronnen.»
Mit Blut war er umronnen.

Er spreit seinen Mantel ins grüne Gras
Und bat sie, daß sie zu ihm saß:
«Schöne Jungfrau, du mußt mir lausen,
Mein gelbkraus Härlein verzausen!»

So manches Löcklein als sie zertat,
So manche Träne fiel ihr herab.
Er schaut ihr unter die Augen:
«Feinsliebchen, was bist du so traurig?

Weinst du um deines Vaters Gut,
Oder weinst du um deinen stolzen Mut,
Oder weinst du um deinen Jungfernkranz?
Der ist zerbrochen und wird nicht ganz.»

«Ich wein' nicht um meines Vaters Gut,
Ich wein' nicht um meinen stolzen Mut,
Ich weine ob jener Tannen,
Daran eilf Jungfräulein hangen.»

«Weinst du ob jener Tannen,
Daran eilf Jungfräulein hangen,
So sollst du bald die zwölfte sein,
Sollst hangen am höchsten Dölderlein.»

«Ach Herre, liebster Herre mein,
Erlaubt mir nur drei einzige Schrei',
Dann will ich ja gern die zwölfte sein,
Will hangen am höchsten Dölderlein.»

«Drei einzige Schrei' erlaub' ich dir wohl,
's ist niemand im Walde, der's hören soll,
Als nur die kleinen Wildtäubelein,
Die fliegen den grünen Wald aus und ein.»

Den ersten Schrei und den sie tut,
Den schreit sie ihrem Vater zu:
«Ach liebster Vater, komme balde,
Sonst muß ich hier sterben im Walde!»

Den zweiten Schrei und den sie tut,
Den schreit sie ihrer Mutter zu:
«Ach Mutter, komm behende,
Sonst nimmt mein Leben ein Ende!»

Den dritten Schrei und den sie tut,
Den schreit sie ihrem Bruder zu:
«Ach liebster Bruder, komm balde,
Sonst muß ich hier sterben im Walde!»

Ihr Bruder war ein Jägersmann,
Der alle Tierlein schießen kann,
Er hörte seine Schwester schrein,
Er wollte sie befrein.

Der Jäger stillet seine Hund'
Und ritt hinab den Wald zur Stund';
Er ficht mit Ulrich dritthalb Stund',
Bis daß er die Obhand überkummt.

Der Jäger hatt' ein zweischneidig Schwert,
Er stach es dem Reiter durch das Herz,
Er tät' ein Wiedelein klenken*
Und tät' den Reiter aufhenken.

Er nahm sein Schwesterlein bei der Hand,
Er führte sie in ihr Vaterland:
«Daheim sollst du hausen und bauen,
Einem Ritter sollst du nimmer trauen.»

---

* Weidenrute zurechtbiegen

Es reit' der Herr von Falkenstein

Es reit' der Herr von Falkenstein
Wohl über ein breite Heide;
Was sieht er an dem Wege stehn?
Ein Maidel mit weißem Kleide.

«Wohin, wo hinaus, du schöne Magd?
Was macht Ihr hier alleine?
Wollt Ihr die Nacht mein Schlafbuhle sein,
So reitet mit mir heime!»

«Mit Euch heimreiten, das tu' ich nicht,
Kann Euch doch nicht erkennen.»
«Ich bin der Herr von Falkenstein
Und tu' mich selber nennen.»

«Seid Ihr der Herr von Falkenstein,
Derselbe edle Herre,
So will ich Euch bitten um'n Gefangnen mein,
Den will ich haben zur Ehe.»

«Den Gefangnen mein, den geb' ich dir nicht,
Im Turm muß er verfaulen;
Zu Falkenstein steht ein tiefer Turm
Wohl zwischen zwei hohen Mauren.»

«Steht zu Falkenstein ein tiefer Turm
Wohl zwischen zwei hohen Mauren,
So will ich an *die* Mauren stehn
Und will ihm helfen trauren.»

Sie ging den Turm wohl um und wieder um:
«Feinslieb, bist du darinnen?
Und wenn ich dich nicht sehen kann,
So komm' ich von meinen Sinnen.»

Sie ging den Turm wohl um und wieder um,
Den Turm wollt' sie aufschließen:
«Und wenn die Nacht ein Jahr lang wär',
Keine Stund' tät' mich verdrießen.

Ei, dörft ich scharfe Messer tragen
Wie unsers Herrn sein Knechte,
Ich tät' mit'm Herrn von Falkenstein
Um meinen Herzliebsten fechten.»

«Mit einer Jungfrau fecht' ich nicht,
Das wär' mir immer eine Schande;
Ich will dir deinen Gefangenen geben,
Zieh mit ihm aus dem Lande!»

«Wohl aus dem Land da zieh' ich nicht,
Hab' niemand was gestohlen,
Und wenn ich was hab' liegen lahn,
So darf ich's wieder holen.»

Es hätt' ein Edelmann ein Weib

Es hätt' ein Edelmann ein Weib,
Ein wunderschöne Frauen;
Es war ein junger Graf im Land,
Der wollt' sie gern beschauen.

Er legt sich weiße Kleider an,
Als er ein Pilgram wäre;
Er kam fürs Schloß und klopfet an:
Ob jemand drinnen wäre?

Die Dirn' wohl zu der Frauen sprach:
«Es ist ein Pilgram außen,
Weder soll man ihn lassen einher gan,
Oder soll man ihn lassen draußen?»

Die Frau wohl zu der Dirne sprach:
«Man sollt' ihn einher lassen,
Man sollt' ihm Essen und Trinken geb'n,
Man ihn lassen rasten.»

Alsbald er in die Stuben einkam,
Da bot man ihm zu trinken
Aus einem silbern Becherlein;
Sein Äuglein ließ er sinken.

Als er 'gessen und 'trunken hätt',
Der Herr hub an zu fragen:
Aus welchem Land er kommen wär',
Aus Franken oder aus Schwaben?

«In Franken bin ich wohl bekannt,
In Schwaben bin ich erzogen,
Und was ich drinnen verloren hab',
Das darf ich wieder holen.»

Die Frau wohl zu dem Herren sprach:
«Man soll die Leut' nit fragen;
Alsbald sie 'gessen und 'trunken hab'n
Sollt' man ihn' leuchten schlafen.»

Der Herr, der ist ein zornig Mann,
Er schlug die Frau ins Auge:
«Ja, wenn der Herr zu reden hat,
Soll stille schweigen die Fraue!»

Die Frau wohl zu dem Herren sprach:
«Der Streich wird Euch gereuen;
Eh' denn das Glöcklein None schlägt
Wohl zwischen zwei und dreien.»

Und da das Glöcklein zwölfe schlug,
Der Herr ging zu der Metten;
Da schwang sich das wunderschöne Weib
Wohl zu dem Pilgram ins Bette.

Wohl anhin gegen dem Tage
Hört' man die Vöglein singen,
Da schwang sich das wunderschöne Weib
Wohl mit dem Pilger von hinnen.

Und da der Herr von der Metten heimkam,
Kam ihm viel neuer Märe:
Wie es sein wunderschöne Frau
Wohl mit dem Pilger hin wäre.

Der Herr wohl zu dem Knechte sprach:
«Sattel unser beider Gäule!
Wir wollen reiten Berg und Tal,
Wir wöllen's wohl ereilen!»

Und da sie auf die Heiden aus kamen,
Hören sie 's Jägerlein blasen.
«O Jäger, liebster Jäger mein,
Wer wohnt auf diesem Schlosse?»

Und wer auf diesem Schlosse wohnt,
Das darf ich Euch wohl sagen:
«Es ist ein wunderschöne Frau
Wohl mit dem Pilger her zogen.»

Der Herr wohl zu dem Knechte sprach:
«Wohl auf! Wir wöllen von dannen:
Wenn es mein Frau kein Ehr' will haben,
So hab' sie Spott und Schande!»

Wer ist, der uns dies Liedlein sang?
Frisch, frei hat er's gesungen,
Das hat getan ein Pilgram gut,
Dem mit der Frauen ist gelungen.

Des Knaben Wunderhorn

Großmutter Schlangenköchin

«Maria, wo bist du zur Stube gewesen?
Maria, mein einziges Kind!»

«Ich bin bei meiner Großmutter gewesen,
Ach weh! Frau Mutter, wie weh!»

«Was hat sie dir dann zu essen gegeben?
Maria, mein einziges Kind!»

«Sie hat mir gebackne Fischlein gegeben,
Ach weh! Frau Mutter, wie weh!»

«Wo hat sie dir dann das Fischlein gefangen?
Maria, mein einziges Kind!»

«Sie hat es in ihrem Krautgärtlein gefangen,
Ach weh! Frau Mutter, wie weh!»

«Womit hat sie dann das Fischlein gefangen?
Maria, mein einziges Kind!»

«Sie hat es mit Stecken und Ruten gefangen,
Ach weh! Frau Mutter, wie weh!»

«Wo ist dann das übrige vom Fischlein
Maria, mein einziges Kind!»   [hinkommen?

«Sie hat's ihrem schwarzbraunen Hündlein
Ach weh! Frau Mutter, wie weh!» [gegeben,

«Wo ist dann das schwarzbraune Hündlein
Maria, mein einziges Kind!»   [hinkommen?

«Es ist in tausend Stücke zersprungen,
Ach weh! Frau Mutter, wie weh!»

«Maria, wo soll ich dein Bettlein hin machen?
Maria, mein einziges Kind!»

«Du sollst mir's auf den Kirchhof machen,
Ach weh! Frau Mutter, wie weh!»

Stund ich auf hohem Berge

Stund ich auf hohem Berge
Und sah wohl über den Rhein,
Ein Schifflein sah ich fahren,
Der Ritter waren drei.

Der Jüngste, der darunter war,
Das war ein Grafensohn,
Hätt' mir die Eh' versprochen,
So jung als er noch war.

Er tat von seinem Finger herab
Ein Ringlein von Golde so rot:
«Nimm hin, du Hübsche, du Feine,
Trag ihn nach meinem Tod!»

«Was soll ich mit dem Ringlein tun,
Wenn ich's nicht tragen darf?»
«Ei sag, du hast's gefunden
Draußen im grünen Gras.»

«Ei, das wäre ja gelogen,
Stünd' mir gar übel an;
Viel lieber will ich sagen,
Der jung Graf wär' mein Mann.»

«Ei Jungfer, wärt Ihr ein wenig reich,
Wärt Ihr ein edler Zweig,
Fürwahr, ich wollt' Euch nehmen,
Wir wären einander gleich!»

«Und ob ich schon nicht reiche bin,
Aller Ehren bin ich voll.
Meine Ehr' will ich behalten,
Bis daß meinsgleichen kommt.»

«Kommt aber deinesgleichen nicht,
Was fängst du darnach an?»
«Darnach geh' ich in das Kloster,
Zu werden eine Nonn'.»

Es stund wohl an ein Vierteljahr,
Dem Grafen träumt's gar schwer,
Als ob sein herzallerliebster Schatz
Ins Kloster zogen wär'.

«Steh auf, steh auf, lieb Reitknecht mein!
Sattel mir und dir ein Pferd,
Wir wollen reiten über Berg und Tal,
Das Mädel ist alles wert.»

Und als sie vor das Kloster kamen,
Sie klopften ans hohe Haus:
«Komm raus, du Hübsche, du Feine,
Komm nur ein wenig raus.»

«Was soll ich aber draußen tun?
Hab' ich ein kurzes Haar!
Mein Haar ist abgeschnitten,
Es ist vergangen ein Jahr.»

Der Graf entsetzt' sich in der Still',
Saß da auf einem Stein,
Er weint die hellen Tränen,
Konnt' sich nicht wieder freun.

Mit ihrem schneeweißen Händelein
Gräbt sie dem Grafen ein Grab,
Aus ihren schwarzbraunen Äugelein
Sie ihm das Weihwasser gab.

So muß es allen Junggesellen gehn,
Die trachten nach großem Gut!
Sie hätten als gern schöne Weiber,
Sind aber nicht reich genug.

Es sah eine Linde ins tiefe Tal

Es sah eine Linde ins tiefe Tal,
War unten breit und oben schmal,
Worunter zwei Verliebte saßen,
Vor Lieb' ihr Leid vergaßen.

«Feins Liebchen, wir müssen voneinander,
Ich muß noch sieben Jahre wandern.»
«Mußt du noch sieben Jahr' wandern,
So heurat ich mir keinen andern.»

Und als nun die sieben Jahr' um waren,
Sie meinte, ihr Liebchen käme bald,
Sie ging wohl in den Garten,
Ihr feines Liebchen zu erwarten.

Sie ging wohl in das grüne Holz,
Da kam ein Reuter geritten stolz.
«Gott grüße dich, Mägdlein feine,
Was machst du hier alleine?

Ist dir dein Vater oder Mutter gram,
Oder hast du heimlich einen Mann?»
«Mein Vater und Mutter sind mir nicht gram,
Ich habe auch heimlich keinen Mann.

Gestern war's drei Wochen über sieben Jahr',
Da mein feines Liebchen ausgewandert war.»
«Gestern bin ich geritten durch eine Stadt,
Da dein feins Liebchen hat Hochzeit gehabt.

Was tust du ihm denn wünschen,
Daß er nicht gehalten seine Treu'?»
«Ich wünsch' ihm soviel gute Zeit,
Soviel wie Sand am Meere breit.»

Was zog er von seinem Finger?
Ein'n Ring von reinem Gold gar fein.
Er warf den Ring in ihren Schoß,
Sie weinte, daß der Ring gar floß*.

Was zog er aus seiner Taschen?
Ein Tuch, sehr weiß gewaschen.
«Trockne ab, trockne ab dein Äugelein,
Du sollst hinfort mein eigen sein.

Ich tu' dich nur versuchen,
Ob du würdst schwören oder fluchen;
Hättst du einen Fluch oder Schwur getan,
So wär' ich gleich geritten davon.»

---

* tränenfeucht wurde

Die Mordwirtin

Es waren drei Soldatensöhn',
Sie haben Lust, in Krieg zu gehn,
Wohl ins Soldatenleben.
Sie bleiben aus eine kleine Weil',
Sie machen sich Geld und Brot dabei,
Auch ung'rische Dukaten.

Sie haben sich ganz kurz bedacht
Und haben sich wieder nach Haus gemacht,
Frau Wirtin sprang entgegen.
«Frau Wirtin, hat sie die Gewalt,
Ein'n Reiter über Nacht aus zu behalten,
Dazu und auch gastieren?»

«Warum werd' ich die Gewalt nicht hab'n,
Einen Reiter über Nacht zu behalten,
Dazu und auch gastieren?»
Der Reiter setzt sich oben an den Tisch:
«Sie mag mir auftragen, was sie will,
Ich kann's ja wohl bezahlen.»

Sie trägt ihm auf gebackne Fisch'
Und einen Schweinebraten,
Und als es war, als da man schlief:

«Ach Mann, ich kann nicht schlafen!»
Sie macht das Pfännchen mit Fette heiß
Und schütt's dem Reiter in Hals hinein,

Kriegt ihn an seiner schneeweißen Hand
Und schleift ihn in Keller in kühlen Sand:
«Da kannst du liegen
Bis morgen mittag verschwiegen.»
Des Morgens, als sein Kamerad kam:
«Wo ist der Reiter?»

«Der Reiter und der ist weiter,
Der Reiter, der kann weiter sein.»
«Er kann in Eurem Hause sein;
Hat sie dem Reiter was Leids getan,
So hat sie's ihrem lieben Sohn getan,
Der aus dem Krieg ist kommen.»

Sie hat sich in den Brunnen gesprengt,
Er hat sich in die Scheuer gehängt,
Müssen an einem Tag drei sterben.

Verschiedene Quellen

Schwesterlein[5]

«Schwesterlein, Schwesterlein,
Wann gehn wir nach Haus?»
«Früh, wenn die Hähne krähn,
Woll'n wir nach Hause gehn,
Brüderlein, Brüderlein,
Dann gehn wir nach Haus.»

«Schwesterlein, Schwesterlein,
Wann gehn wir nach Haus?»
«Früh, wenn der Tag anbricht,
Eh' end't die Freude nicht,
Brüderlein, Brüderlein,
Der fröhliche Braus.»

«Schwesterlein, Schwesterlein,
Wohl ist es Zeit.»
«Mein Liebster tanzt mit mir,
Geh' ich, tanzt er mit ihr,
Brüderlein, Brüderlein,
Laß du mich heut.»

«Schwesterlein, Schwesterlein,
Was bist du blaß?»
«Das macht der Morgenschein

Auf meinen Wängelein,
Brüderlein, Brüderlein,
Die vom Taue naß.»

«Schwesterlein, Schwesterlein,
Du wankest so matt?»
«Suche die Kammertür,
Suche mein Bettlein mir,
Brüderlein, es wird fein
Unterm Rasen sein.»

Die stolze Müllerin

Ich weiß eine stolze Müllerin,
Ein wunderschönes Weib,
Wollt' gerne bei ihr mahlen,
Meine Körnlein zu ihr tragen,
Wollt' selbst der Mühlknecht sein.

«Guten Tag, guten Tag, Frau Müllerin,
Wo stell' ich hin mein Sack?»
«Stell ihn nur in die Ecken
Zu andern blauen Säcken,
Kannst mahlen, wenn du magst.»

Und als der Müller vom Walde heimkam,
Vom Regen war er naß:
«Steh auf, Frau Müllerin stolze,
Schür an ein Feuer vom Holze:
Vom Regen bin ich naß.»

«Ich steh' nicht auf, lass' dich nicht ein»,
Sprach nun die Müllerin fein,
«Ich hab' die Nacht gemahlen
Bei Bäcker- und Müllerknaben
Von Nacht bis an den Tag,
Daß ich nicht aufstehn mag.»

«Stehst du nicht auf, läßt mich nicht ein»,
Sprach wiederum der Müller fein,
«Woll'n wir die Mühl' verkaufen,
Das Geld woll'n wir versaufen
Bei Met und kühlem Wein.»

«Laß mir eine andere bauen»,
Sprach nun die Müllerin fein,
«Dorthin auf grünen Auen
Laß mir eine andere bauen:
Kannst mahlen, wann du wilt.»

Die sieben Mühlen

Stolz Heinrich, der wollt' freien gehn
So fern ins fremde Land
Bei einer Königstochter,
Zweifle nicht, mein Schatz, mein Kind,
Bei einer Königstochter,
Die Margarethchen hieß.

Er sprach: «Ach Margarethchen,
Wolltst du wohl mit mir gehn?
Ich hab' in meinem Vaterland,
Zweifle nicht, mein Schatz, mein Kind,
Ich hab' in meinem Vaterland
Wohl sieben Mühlen stehn.»

«Hast du in deinem Vaterland
Wohl sieben Mühlen stehn,
So sag mir, was sie mahlen tun,
Zweifle nicht, mein Schatz, mein Kind,
So sag mir, was sie mahlen tun,
Dann mag ich mit dir gehn.»

«Sie tun nichts mehr als mahlen
Muskat und rote Nägelein,
Muskat und gelbe Blümelein,

Zweifle nicht, mein Schatz, mein Kind,
Muskat und gelbe Blümelein,
Und Zucker und Kaneel*.»

Als sie schon weit gegangen waren
Bis durch den grünen Wald,
Sah sie die Mühlen blinken,
Zweifle nicht, mein Schatz, mein Kind,
Sah sie die Mühlen blinken
So fern im fremden Land.

«Margarethchen, ach mein lieber Schatz,
Nun freu dich nicht zu sehr:
Ich hab' in meinem Vaterland,
Zweifle nicht, mein Schatz, mein Kind,
Ich hab' in meinem Vaterland
Nur grünes Heidenkraut stehn.»

«Und hast du in deinem Vaterland
Nur grünes Heidenkraut,
Dann muß sich Gott erbarmen mein,
Zweifle nicht, mein Schatz, mein Kind,
Dann muß sich Gott erbarmen mein,
Daß ich dir hab' getraut.»

---

* Zimt

Da zog sie aus ihrer Taschen
Ein silbern Messerlein;
Sie tat das Messer schleifen,
Zweifle nicht, mein Schatz, mein Kind,
Sie tat das Messer schleifen
Und stach sich selber tot.

«Und wenn mein Vatter fraget,
Wo ich geblieben wär',
So sag, ich wär' begraben,
Zweifle nicht, mein Schatz, mein Kind,
So sag, ich wär' begraben
So weit im fremden Land.»

Es war einmal ein Zimmergesell

Es war einmal ein Zimmergesell,
War gar ein junges Blut,
Er baute dem jungen Markgrafen ein Haus,
Fünfhundertsechs Läden daran.

Und wie das Haus gebauet war,
Legt' er sich drunter und schlief.
Da kam des jungen Markgrafen sein Weib,
Zum zweiten, zum dritten Mal rief:

«Steh auf, steh auf, gut Zimmergesell,
Denn es ist an der Zeit,
Wenn dir beliebt, bei mir zu schlafen
An meinem schneeweißen Leib.»

«Ach nein, ach nein, Markgräfin, nein,
Das wär' uns beiden ein Schand'.
Und wenn es der junge Markgraf erführ',
Wir müßten beid' aus dem Land.»

Und da der beiden Wille geschah,
Sie meinten, sie wären allein,
Da kam die älteste Kammermagd,
Zum Schlüsselloch schaut sie hinein.

«Ach Herr, ach edler Herre mein,
Groß Wunder an Euerem Weib!
Der Zimmergesell tut schlafen
An ihrem schneeweißen Leib.»

«Und schläft es nun der Zimmergesell
An ihrem schneeweißen Leib,
Einen Galgen will ich ihm bauen
Zu Basel wohl an dem Rhein.»

Man führt den jungen Zimmergesell
Aufs Rathaus wohl in der Stadt,
Sein Urteil tät' man ihm sprechen:
«Gehenket muß er sein.»

Da sprach der Burgemeister:
«Wir wollen ihn leben lan:
Ist keiner unter uns allen,
Der nicht hätt' das getan.»

Was zog er aus dem Sacke?
Fünfhundert Goldgulden so rot:
«Zieh hin, zieh hin, gut Zimmergesell,
Darum kauf Wein und Brot!

Und wenn du das Geld verzehret hast,
So komm du wieder zu mir,
So will ich dir lassen geben
Den besten Malvasier.»

Dr Buecher Fridli[6]

Es chäme zwen Böteli vo Wilisau:
«Ach Fridli, du hest gar e schöni Frau.»
Es chäme zwen Böteli vo Luzärn;
Sie wend de Buecher Fridli näh.

«Fridli, müem-mer di binde oder
                    müem-mer di foh*,
Oder witt du sälber uf Luzärn ine goh**?»
«Ir müem-mi nid binde, ir müem-mi nid foh,
I darf wohl sälber uf Luzärn ine goh.»

Der Fridli lauft dur d'Matte;
Er lauft grad wie-n-e Schatte.
«Ach Fridli, du mueßt chli weidliger*** goh,
Dii Wiib und Chind, si schreie dir noh.»

Und wie-n-er dann kam uf Luzärn,
Die Herre all uf der Rüßbrugg wärn.
Spazierten über die Rüßbrugg drein,
Si hießen den Fridli gottwillchum sein.

---

* fangen
** gehen
*** schneller

«Witt du noch bi diine Worte si,
So mueßt du euse Gfangene si.»
«Und was i gredt ha, das ist noh,
Bi miiner Wahrheit will i stoh.»

Si täten den Fridli in schiefen Turm,
Darin war mänge wüeste Wurm.
Er könnt weder ligge, er könnt weder stoh,
Er mueß wohl uf de Chneune* goh.

Und wie es war am Ziistig** spot,
's Mareili uf Luzärn ine goht,
Wie es uf Luzärn ine chäm,
Die Herren all uf der Rüßbrugg wärn.

Si hießen Mareili gottwillchum sein:
«Was soll denn dein Begehren sein?»
«Und mein Begehren ist mir leid:
Löit mir den Fridli Buecher heim.»

«Mareili, liebes Mareili mii,
Dein Bitt und Bet ist vil zu chlii.
Der Fridli gibt eus gar böse Bscheid,
Er kommt dir währli nümme hei.»

's Mareili gieng in den Turm hinein:
«Ach Fridli, lieber Fridli mein,

---

* Knie
** Dienstag

Gib du den Herren andern Bescheid,
Süst kommst du währli nümme heim.»

«Mareili, liebes Mareili mein,
Ich gib den Herren kein andern Bescheid,
Und was i gredt ha, das red i noh,
Bi miiner Wahrheit will i stoh.»

Und wie es war am Friitig spot,
Der Baschi* auch uf Luzärn goht.
Wie er uf Luzärn ine chäm,
Die Herren uf der Rüßbrugg wärn.

Si spazierten die Rüßbrugg us und ein
Und hießen den Baschi willkommen sein.
«Sei mir gottwillchummen, Baschi mein,
Was soll denn dein Begehren sein?»

«Und mein Begehren ist mir leid,
Löit mir den Buecher Fridli heim.
Sein Weib und Kind im Hause mein
Um ihren Vater jammernd schrein.»

«Ach Baschi, lieber Baschi mein,
Dein Bitt und Bet sind vil zu klein.
Der Fridli gibt eus gar bösen Bescheid,
Er kommt dir währli nümme heim.»

---

* Sebastian

Der Baschi gieng zum Fridli in Turm:
«Ach Fridli, deine Kinder schrein.
Gib du den Herren andern Bescheid,
Süst kommst du währli nümme heim.»

«Ach Baschi, lieber Baschi mein;
Ich geb den Herren kein andern Bescheid.
Und was i gredt ha, das red i noh,
Bi miiner Wahrheit will i stoh.»

Sie nähmen den Fridli us dem Turm;
Sie führten ihn zum Richtplatz schon.
Sie führten ihn us, es ist e Gruus,
's Bluet schießt ihm oben zur Hirnschalen us.

's Mareili gieng untern Galgen zu beten,
Die Herren täten ihm das absprechen:
«Der Galgen ist ja kein Gottshuus,
's ist süst nur in den Kirchen der Bruuch.»

's Mareili gab zur Antwort druf:
«Das Beten ist überall der Bruuch.
Und ist der Galgen kein Gotteshuus,
's tuet doch de Luzärnern d'Augen uf.»

Roni Sattel[7]

Roni Sattel hat gewiibet
Hat genommen ein edeles Weib,
Kostet ihm Lieb und Leben,
Darzu sein stolzen Leib.

Sie nehmed de Roni gefange
Und täte ne in den Turm,
Darin sind Kroten und Schlange
Und menge vergiftete Wurm.

Darinnen muß er bleibe
Sibe Jahre und drei Tag,
Bis ihm sini Kleider verfuled,
Sein Haar ist wiiß und grau.

Sie füered der Roni use
Für das Ratsherrenhuus;
Die sibe Ratsherre spaziere
Und schaued zu'n Fenstren uus.

Sie füered der Roni use
Bis vor das üüßere Tor;
Dert chneuled* si Vater und Mueter
Und weined gar bitterli.

«Ach Vater und liebi Mueter,
Weined nid eso bitterli!
Menge stolzere Liib ist verfuuled,
Wenn miine verbrenne mueß.»

Sie füered der Roni use
Wol über e wiiti Heid.
Dert wachst nüt weder Gras und Laub,
Nüt weder drü Blüemeli.

«Lönd mi die Blüemli abbreche,
Will's trage mit mir ins Füür.»
Der Roni, der ist verbrunne
Bis an die rechte Hand.

Es chöme drü Tübeli z'flüüge,
Drü Tübeli chridewiiß,
Sie nehme de Roni und flüüge
Mit ihm i's Himelriich.

Zu'n Ratsherre
Chöme sibe Rappe**,
Sie nehme die sibe Ratsherre
Und fahre mit ihne ins höllische Füür.

---

  * knien
 ** Raben

De papierig Himmel

Es het e Buur es Töchterli,
Mit Name heißt es Bäbeli,
Es het zwei Zöpfli gelb wie Gold,
Drum isch em au der Dursli* hold.

Der Dursli lauft em Ätti** noh:
«Säg, Ätti, wottsch mer 's Bäbeli loh?»
«Das Bäbeli isch no viel zu chlei,
Es schlaft das Jahr no wohl allei.»

Der Dursli lauft i vollem Zorn
Wohl in die Stadt go Solothurn[8].
Er lauft die Gassen i und uus,
Bis daß er chunnt vors Hauptmes Huus.

«O Hauptme, liebe Hauptme mii,
I will mi dingen i Flanderen ii.»
Der Hauptme zieht der Seckel uus
Und git dem Durs drei Taler druus.

---

* Urs
** Vater

Der Dursli geit jetzt wieder hei,
Hei zu sim liebe Bäbeli chlei:
«O Bäbeli, du liebs Bäbeli mii,
I ha mi dungen i Flanderen ii.»

Das Bäbeli lauft wohl hinders Huus,
Es griint* ihm fasch sini Äugeli uus.
«O Bäbeli tue doch nit eso,
I wott ja wider ume cho!

Und chumm i übers Johr nit hei,
So schriiben i dir es Briefli chlei.
Darinne söll's geschriibe stoh:
Mis Bäbeli wott i nit verloh.

Und wenn der Himmel papierig wär,
Und jede Stärn en Schriiber wär,
Und jede Schriiber hätt sibe Händ,
Sie schriibe doch miner Liebi keis Änd.»

---

* weint

Der Untergang von Plurs[9]

Merkt zu, ihr Christen, all zugleich,
Ihr seid jung, alt, arm oder reich –
Hört zu, was ich euch sage
Von Jammer und unerhörter Not,
So sich erst zugetragen hat,
Vor Leid möcht eines verzagen.

Der große Flecken, Plurs genannt,
So den Kaufleuten wohl bekannt,
Im Pündter Land* gelegen,
Ist durch des Allerhöchsten Gewalt
Verderbt und zugrund gangen bald,
Von einem Berg, merket eben.

Als nun die Sonn ihr Urlaub nahm
Und jetzt die Nacht auch herzu kam,
Fielen vom Berg herunter
Etliche große Schifferstein
So sonsten bei Landvolk gemein,
Weil's oft geschach besonder.

_____

* Graubünden

Als nun die Leut nach ihrem Wohn*
Jetz und bald wollten schlafen gahn,
Fiengs an erschröcklich krachen,
Und fiel der Berg ganz überall
Im Augenblick aufs Dorf zumal;
Tät ihn' den Garaus machen.

Bedeckt also erschröckenlich
Den ganzen Flecken jämmerlich,
Versenkt's tief in die Erden.
Kirchen, Paläst und Häuser fest,
Viel Herbergen und fremde Gäst
Mußten zunichten werden.

Man sieht dort nichts mehr überall,
Was da gestanden sei zumal,
Von Kirchen oder Palästen.
Es hat des Erdrichs Abgrund hohl,
Verschlucket und verderbt zumal,
Ganz überall gefressen.

Viel reiche Kaufleut allerhand
Suchten den Flecken weit bekannt,
Ihre Gwerb allda zu treiben;
Der ein handlet mit Seidenwar,
Ein andrer mit Gold und Silber gar –
Müßten die Not auch leiden.

---

* Gewohnheit

Man sagt, daß die Kaufleut gemein
Viel Waren wollten packen ein,
In fremde Land zu schicken.
So hat's der Tod in schneller Eil
Erwürgt und geschossen mit seim Pfeil;
Gott wöll ihr Seel erquicken.

Man hat auch die verschinen Tag
Etlich ausgraben mit großer Klag;
Auch han sich underwunden
Viel, wöllen jetzt zusammen stohn,
Auch starke Arbeit wenden an,
Ob sie noch etwas funden.

Cleve* die Stadt stund auch in Gfahr,
Weil sich das Wasser aufbäumet gar –
Kunnt vor dem Berg nit fließen.
Doch hat ihm Gott den Weg gewiesen,
Deshalbe sie seine Güte priesen,
Täten ihr Gebätt ausgießen.

Steck ein dein Schwert, du treuer Gott,
Behüte uns vor solcher Not,
Laß uns nicht verderben;
Verleih uns allen ein seligs End
Und dort ein fröhlich Auferstend
Durch Jesum Christum. Amen.

---

* Chiavenna

Die Tiroler Raubschützen

Dort, wo hohe Berge stehen,
Im Tirol, dem schönen Land,
Wo die Lüfte milde wehen,
Wo der Gießbach netzt den Strand,
Wo ertönen Alpenlieder,
Wo die Menschen treu und bieder,
Wo der Fels umkränzt das Tal,
Glänzt das Land im Sonnenstrahl.

Dort, im Tale abgeschieden,
Lebte einst ein braver Mann
Als ein Gastwirt so zufrieden,
Als man sich nur wünschen kann.
Seine Tochter, die beglückte
Ihn, wie sie die Welt entzückte
Durch der Laune heitren Scherz
Und ihr wahrhaft gutes Herz.

Viele Freier drum mit Schmerzen
Strebten auch nach ihrer Hand,
Doch den Weg zu ihrem Herzen
Nur des Köhlers Seppl fand.

Drob in einem andern glühte
Heiß das Herz, das Rache sprühte,
Er war Wildschütz, und den Mord,
Den versuchte er sofort.

Franzl, der als Jäger lebte,
Sollte hier sein Opfer sein,
Und der rohe Wildschütz strebte,
Ihn dem Tode frech zu weihn.
Mit des Köhlers schwerer Stange,
In des Waldes dunklem Gange,
Gab er ihm den grimmen Streich
Und entwich darauf sogleich.

Doch das Schicksal führt zur Stunde
Seppl auf den dunklen Pfad,
Und man zeiht mit frechem Munde
Ihn der schaudervollen Tat.
Falsches Zeugnis schwur der Täter,
Dieser grausige Verräter,
Doch wenn auch der Sünder lacht,
Die Gerechtigkeit noch wacht.

Denn nicht ganz zu Tod' verwundet
War der arme Jägersmann,
Und als glücklich er gesundet,
Gab er selbst den Mörder an.

Der Unschuld'ge, bald befreiet,
Fand sein Glück nun frisch erneuet
Und vergaß sein Mißgeschick,
Da ihm lächelte sein Glück.

Doch der Mörder, durch die Felder
Irrte er mit flücht'gem Fuß,
Manchen in der Nacht der Wälder
Fällte noch sein Mörderschuß.
Bis er endlich arretieret
Wird zum Richtplatz hingeführet,
Er versöhnte durch den Tod
Seine Taten blutigrot.

Die Geschichte soll uns lehren,
Daß Gott niemals den verläßt,
Welcher in der Tugend Lichte,
Stets beharret treu und fest.
Doch den Sünder stets ereilet,
Wenn's auch noch so lange weilet,
Immer zur gelegnen Zeit
Strafende Gerechtigkeit.

Genoveva

Wohl war sie der Schmuck der Frauen,
Genoveva, zart und rein,
Ihresgleichen in den Gauen
Deutschlands mochte nimmer sein,
Drum als Siegfried mußte ziehen
In den heil'gen Gotteskrieg,
Fühlte Golo Liebesglühen,
Welches immer höher stieg.

Siegfried hatt' ihm anbefohlen,
Als er schied, sein ganzes Gut,
Golo kündet unverhohlen
Seiner Herrin seine Glut.
Als sie ihm Verachtung zeigte,
Schreibt er Siegfried, daß sie sich
Hold zu einem Knechte neigte,
Drob des Grafen Liebe wich.

Genoveva soll verderben
Durch ein knechtisch Mörderpaar,
Mit ihr soll ihr Söhnlein sterben,
Das im Kerker sie gebar.

Doch das Paar, es fühlt Erbarmen
Bei der Gräfin Tränenflut,
Und es schont in ihren Armen
Ihres Kindes und ihr Blut.

Doch mit heil'gem Eide schwören
Muß sie, daß sie stets dem Land,
Drin sie jetzt weilt, will gehören,
Wie's auch wehe rauh und kalt.
Sieben Jahre sehn sie weilen
In des Waldes tiefstem Ort,
Muß mit ihrem Sohne teilen
Schlechte Nahrung fort und fort.

Eine Hirschkuh war des Knaben
Treue Spielgefährtin hier,
Ihre Milch, sie mußt' ihn laben
In dem dunklen Waldrevier.
Da auf einmal tönt ein Knallen
Wie von Peitschen durch den Wald,
Hussaruf und Hörnerschallen
Froher Jäger laut erschallt.

Und an Genoveva eben
Schmiegt sich eng ihr treues Tier,
Sie durchfährt ein eisig Beben,
Denn der Pfalzgraf steht vor ihr.

Längst schon ist der Wahn geschwunden,
Der ihm einst die Ruh' geraubt,
Jubelnd jauchzt' er, da gefunden,
Die er lange tot geglaubt.

Treue Dienerhände tragen
Sie zurück samt ihrem Sohn,
Golos Stunde hat geschlagen,
Ihn ereilt der Sünde Lohn.
Und wo Genovevas Schmerzen
Einst geschaut der dunkle Wald,
Steht, ein Trost für Dulderherzen,
Eine hohe Kirche bald.

Des Adlers Horst[10]

Auf einer großen Wiese war
Versammelt eine große Zahl
Von Leuten mancherlei;
Den Rechen emsig in der Hand
Ist hier geschäftig jedermann,
Zu machen gutes Heu.

Da rauscht es plötzlich über sie,
Und alles blicket auf:
Ein großer Adler schwinget sich,
In seiner Klau' ein schreiend Kind,
Zur blauen Höhe auf,
Dem fernen Berge zu.

Und eine Mutter eilt herbei,
Ausstoßend einen lauten Schrei:
«Mein Kind, es ist's, das mir geraubt,
Seht jenes leere Bett am Heu;
Ach, nimmer hatt' ich dies geglaubt,
Daß mir das Letzte wird geraubt!

Doch Gott schützt mich, ich hol' es mir
Aus deinen Klau'n, du räuberisch Tier;

Und ging mein Weg durch Flammen hin,
Nichts würde ändern meinen Sinn;
Und rette ich nur sein Gebein,
Tot oder lebend – es ist mein.»

Sie eilet schnell dem Berge zu,
Wo jener Adler haust,
Und alles eilt ihr nach im Nu,
Und leer ist jedes Haus;
Der Prediger und die Gemein',
Man segnet sie und weiht sie ein.

Sie steiget auf, es schallt ihr nach
Ein frommer Chorgesang,
Und immer höher klimmt sie auf
Den grausen, schweren Gang.
Da ruft ein Lord: «Der Beutel Gold
Sei dem, der sie beschützt.»
                    Doch niemand zeiget sich.

Und blutverletzt an Hand und Fuß
Strebt sie zur Höh' empor,
Und Gottes Engel halten sie,
Wenn sie an Kraft verlor,
Und glücklich endet sie den Lauf,
Des Berges Krone nimmt sie auf.

Sie eilet freudig an den Horst,
Die Adler fliehen ihn,
Ihr Kind – o Wunder – lieget da
Und schlummert sanft darin,
Und betend sinkt sie auf die Knie,
Dem guten Vater danket sie.

Und wie sie Gott hinaufgeführt,
So führt er sie herab,
Mit Angst und Schmerzen kämpfte sie,
Oft droht ein Schritt ihr Grab,
Da reicht ihr Gott die Vaterhand,
Wenn Rettung sie unmöglich fand.

Vollendet ist der schwere Lauf,
Ohnmächtig sinkt sie hin,
Beschützend tritt der Lord nun auf,
Ihr Glück liegt ihm im Sinn;
Er stiftet es als edler Mann.
Heil dem, der so wie er getan.

So sendet oft zu unserm Glück
Gott manchen trüben Augenblick,
Und nur nach Tränen wird erfreut,
Der auf Gott baut in Kreuz und Leid.
Drum denkt stets in der Not daran:
Was Gott tut, das ist wohlgetan!

Erinnernd an den Kindesraub
Hat man ein Denkmal hingebaut,
Und daran liest der Wandrer gleich,
Daß der Berg heißt der Muttersteig,
Und wallend zieht der Mädchen Schar,
Ihn zu bekränzen jedes Jahr.

Der Brand des Dampfschiffes «Austria»[11]

Stolz zog durch die Meeresfluten
Hin das Schiff, die «Austria»,
Reich mit Passagiern beladen,
Ging es nach Amerika.

Und der Captain führt das Dampfschiff,
Ahnend nicht den Schicksalsschlag,
Den der Elemente Toben
Für ihn aufgehoben noch.

Starker Westwind trieb die Segel,
Unterstützt des Dampfes Kraft,
Doch nicht Wind noch Wellen haben
Ihm den Untergang gebracht,

Prasselnd schlägt die Feuersäule
Aus der Luken engem Raum,
Weckt zu furchtbarem Erwachen
Manchen aus dem Hoffnungstraum.

Mittags um die zweite Stunde
Tönt der Armen Angstgeschrei:
«Hülfe! Rettung!» hallt's die Runde,
«Alles ist für uns vorbei!»

Eiligst, mit entblößtem Haupte
Stürzet von dem Schreckensort
Der Captain aus der Kajüte:
«Mannschaft! Böte schnell vom Bord!»

Kaum die Taue losgelassen
Stürzt die Masse sich hinein,
Ach, nicht kann das Boot sie fassen,
Ringsum hört man Todesschrein.

Krachend stürzen schon die Masten,
Die Maschine stehet still,
Seht, das Schiff dreht sich nach Norden,
Mut, wer jetzt nicht sinken will.

Sehet dort den stolzen Ungar,
Mit dem Kinde auf dem Arm,
Segnend treibt er in die Tiefe,
Die er, ach, geliebt so warm;

Selbst sein Weib, die ihm die Liebste,
Sechs der Kinder, groß und schön,
Treibt hinab er in die Tiefe,
Will mit ihnen untergehn.

Doch, als nun die Not am größten,
Zeigt sich noch ein Hoffnungsschein,
Denn es nahte eine Barke,
Nahm die höchst Bedrängten ein;

Doch von all den vielen Seelen
Schonte wenig nur der Tod;
Und sie priesen, nun gerettet,
Dankend froh den höchsten Gott.

Der achtfache Mord[12]

Lieblich scheint die Sonne wieder
Auf die sommerliche Flur,
Und der Vögel muntre Lieder
Loben schmetternd die Natur.
Aber, ach! der Menschen Herzen
Füllt oft böses Laster an,
Welches man mit bittren Schmerzen
Wiederum erkennen kann.

In Groß-Campen lebte fröhlich
Thode und sein Weib; es ward
Ihr Glück lange schon vollzählich
Durch sechs Kinder guter Art.
Da in mitternächt'ger Weile
Ward ihr Nachbar aufgeweckt,
Sprang schnell auf in größter Eile
Von dem Feuerruf erschreckt.

Einer lag von Thodes Söhnen
Schier ohnmächtig vor dem Haus,
Schnell hinein nun trägt man jenen,
Eilt aufs neue dann hinaus.

Thodes Scheune stand in Flammen,
Und als man ihn wecken will,
Findet tot man dort beisammen
Acht Personen, bleich und still.

Unter fürchterlichen Wunden
Hat man Tochter, Elternpaar
Und den jüngsten Sohn gefunden,
Der bei jenen schlafend war.
Als das Feuer war besiegt,
Fand die andern drei man bald,
Und wie sie die Magd auch lieget
Tot, verkohlt fast die Gestalt.

Wüste liegt die Stätte nieder,
Wo jüngst Menschen froh gewohnt,
Denen, weil sie brav und bieder,
Stets der Nachbarn Lieb' gelohnt.
Einer nur ist übrigblieben,
Dem der Schreck die Sprache nahm,
Seine Teuren, alle sieben,
Frevle Mörderhand ihm nahm.

Noch ist keine Spur gefunden
Von der schlimmen Mörderschar,
Die verhöhnte unumwunden,
Was im Herzen stehet wahr:

Kein Verbrecher kann entfliehen,
Seine Strafe trifft ihn bald,
Nicht kann er sich ihr entziehen,
Wenn des Ew'gen Spruch erschallt.

In der Hauptstadt Kopenhagen

In der Hauptstadt Kopenhagen,
Wohnt' ein reicher Handelsmann,
Der durch Fleiß und frohes Leben
Viele Güter sich gewann.

Von sechs Kindern blieb am Leben
Nur ein einzig Töchterlein,
Und es war des Vaters Streben,
Diesem Kind sich ganz zu weihn.

Zum Gespielen ward erkoren
Adolf, eines Gärtners Sohn,
Der die Mutter früh verloren;
Und der Vater dient' um Lohn.

Es waren kaum drei Jahr' verflossen,
Kehrt' ins Dorf ein schmucker Mann,
Der voll sehnenden Verlangens
Hielt um sie beim Vater an.

Doch diesen konnte sie nicht lieben,
Dieweil ihr Herz für Adolf schlug.
Da ward schnell ein Brief geschrieben,
Der die Botschaft zu ihm trug:

«Adolf, Adolf, Herzgeliebter,
Teurer Adolf, rette mich!
Der will mir das Herze rauben,
Das allein nur schlägt für Dich!»

Als er diesen Brief gelesen,
Griff er schnell zum Wanderstab,
Reiste noch zur selben Stunde
Sehnsuchtsvoll nach Bremen ab.

Als er kam zur Kirchhofsmauer,
Fiel er vorm Altare hin[13];
Als sie Adolf da erblickte,
Fiel sie tot zur Erde hin.

Alles staunte, alles weinte,
Alles klagte rings umher;
Und der greise Vater weinte
Um sein früh verlorenes Kind.

Drum, ihr Eltern, sollt nicht murren
Wider eures Kindes Herz!
Laßt sie nehmen, wen sie wollen,
Wenn ihnen Gott beschert ein Herz!

Der treue Knabe

Es war einmal ein junger Knab',
Der liebt seinen Schatz schon sieben Jahr',
Und sieben Jahr' und noch viel mehr,
Jetzt nimmt die Lieb' kein Ende mehr.

Der Knab', der reiste ins fremde Land;
Da ward seine Herzallerliebste krank,
So krank, so krank bis auf den Tod,
Drei Tag', drei Nacht' redt' sie kein Wort.

Sobald dem Knaben die Botschaft kam,
Daß seine Herzliebste kranke lag,
Verließ er gleich sein Hab und Gut
Und schaut', was seine Herzliebste tut.

Und als der Knab' in die Stub' hinein trat
Und ihm sein Liebste auf dem Bettlein lag:
«Grüß Gott, grüß Gott, Herzliebste mein,
Was machst du hier im Bettelein?»

«Dank Gott, dank Gott, mein junger Knab',
Mit mir wird's heißen bald ins Grab,
Mit mir wird's heißen in die Ewigkeit,
Ach Gott, ach Gott, wie ist mir's so leid!»

«Nicht so, nicht so, Herzliebste mein,
Die Lieb', die muß noch länger sein.»
«Der Tod liegt mir schon auf der Zung',
Jetzt muß ich sterben, bin noch so jung!»

Er nahm seinen Schatz in rechten Arm,
Es wird ihm kalt und nicht mehr warm:
«Ach Gott, schick mir ein Kerzenlicht,
Mein Schatz, der stirbt, daß es niemand sicht.

Ach Gott, schick mir vier junge Knaben,
Die mir meinen Schatz auf den Kirchhof tragen.
Fern hab' ich gelebt in größter Freud',
Jetzt muß ich tragen ein schwarzes Kleid,

Ein schwarzes Kleid und noch viel mehr,
Jetzt nimmt die Trauer kein Ende mehr,
Bis alle Berglein eben sein
Und alle Wässerlein fließen ein.»

Rinaldini

In des Waldes tiefsten Gründen,
In den Höhlen tief versteckt,
Schläft der Räuber allerkühnster,
Bis ihn seine Rosa weckt.

«Rinaldini[14]», ruft sie schmeichelnd,
«Rinaldini, wache auf!
Deine Leute sind schon munter,
Längst schon ging die Sonne auf.

Unsre Feinde sind gerüstet,
Ziehen gegen uns heran.»
«Nun, wohlan, sie sollen sehen,
Daß der Waldsohn fechten kann.»

Seht, sie fechten, seht, sie streiten,
Jetzt verdoppelt sich ihr Mut.
Aber ach, sie müssen weichen,
Nur vergebens strömt ihr Blut.

Rinaldini, eingeschlossen,
Haut sich, mutig kämpfend, durch
Und erreicht im finstern Walde
Eine alte Felsenburg.

Rinaldini, lieber Räuber,
Raubst den Weibern Herz und Ruh'.
Ach, wie schrecklich in dem Kampfe,
Wie verliebt im Schloß bist du.

Um Mitternacht

«So alleine wandelst du?
Schon ist Mitternacht vorüber,
Regenwolken ziehn herüber,
Mädchen, Mädchen, geh zur Ruh'.»

«Ruhen kann ich nicht allein.
Mein Geliebter hat versprochen,
Heute bei mir anzupochen,
Ruhen kann ich nicht allein.»

«Ruhen sollst du nicht allein.
Hat dein Liebster dich belogen,
Nun, so sei er auch betrogen,
Bring mich in dein Kämmerlein.»

«Bringen will ich dich dahin.
Eng ist's nur, mißt kaum drei Schritte,
Aber Ruh' in seiner Mitte,
Ringsum blüht der Rosmarin.»

«Wie das Leichhuhn ängstlich ruft,
Wie die Winde schaurig blasen.
Ist das nicht der Kirchhofsrasen?
Ha, ich wittre Gräberduft!»

«Sieh, hier ist mein Schlafgemach,
Eng und klein und still und düster,
Sieh, da stört uns kein Geflüster,
Und da wohnt kein Weh und Ach.»

«Weh, dies ist Luisens Grab,
Die ich treulos einst verlassen!
Mädchen, mußt mich nicht umfassen!
Weh, du ziehst mich ja hinab!»

«Sieh, Luise steht vor dir,
Hast mich ja zur Braut gewählet,
Komm, der Tod hat uns vermählet,
Komm und schlummre nun bei mir.»

Der Graf und seine Magd

Es schlief ein Graf bei seiner Magd
Bis an den frühen Morgen,
Er liebte sie nur eine Nacht,
Das machte ihr viel Sorgen.
Doch als der helle Tag anbrach
Und alle Menschen wurden wach,
Da fing sie an zu weinen,
Da fing sie an zu weinen.

«Herr Graf, Sie haben mich entehrt
Und werden mich verlassen,
Ich bin ein armes Mädchen nur
Und werden mich dann hassen.
Und trag' ich's Kind unter meiner Brust,
Auch unter meinem Herzen,
Dann habe ich viel Schmerzen,
Dann habe ich viel Schmerzen.»

«O höre zu, mein liebes Kind,
Deine Mutter wird dich pflegen,
Hier hast du Geld, und geh nach Haus,
Das andere wird sich legen.

Ich rufe dich dann wieder her,
Denn mein Herz hat nach dir Begehr,
Nun hör schon auf zu weinen,
Ach, höre auf zu weinen.»

«Herr Graf, nun lassen Sie mich gehn,
Ich schäm' mich sehr vor Ihnen,
Ich geh' zu meinem Mütterlein,
Herr Graf, mir wird ganz übel.»
Sie rannte schnell von ihm hinaus,
Doch Mütterlein war nicht zu Haus,
Wo ist sie nur geblieben?
Wo ist sie nur geblieben?

«Sie suchte dich die ganze Nacht,
Früh fand man sie im Teiche,
Ihr Herz zerbrach vor Ärgernis,
Nun ist sie eine Leiche.
Sie ruht im Frieden dort im Grab,
Weil du sie nachts verlassen hast.
Was hast du nachts getrieben?
Wo warst du nur geblieben?»

«Der Graf, der Graf rief mich zu sich,
Und hört, was der mir bot:
Ins Bett mußt' ich zu ihm allein,
Ich trag' die Schuld an ihrem Tod.

Ach Mütterlein, ich muß zu dir,
Ins kalte Wasser spring' ich hier,
Ade, ihr lieben Leute,
Ich war des Grafen Beute.»

Wo mag nur dieses Mädchen sein?
Irrt nun der Graf umher allein.
Nach Wochen fand man sie im Teich.
Hier wurde ihm das Herze weich.
Das Schicksal faßte seine Händ',
Die Kugel brachte ihm das End'.
Für immer schloß das Aug' sich zu,
Das Grab, es brachte ihm die Ruh'.

Salome[15]

Still durch den Sand der Sahara dahin
Die Karawane sich zieht,
Welche der Forscher, der junge, aus Wien,
Führt in ein neues Gebiet.
Plötzlich am Rand der Oase erspäht,
Was er geschaut nie zuvor,
Er sieht ein Weib, das jauchzend sich dreht
Zu der Araber Chor:

«Salome – schönste Blume des Morgenlands.
Salome – wirst zur Göttin der Lust im Tanz!
Salome – reich den Mund mir wie Blut so rot.
Salome – deine Küsse sind süßer Tod!»

Starr auf der nackten, gebräunten Gestalt
Haftet sein trunkener Blick.
Sie muß er haben, und sei's mit Gewalt,
Kost' es auch Ehre und Glück.
Nacht bricht herein, sinnbetörend und schwül,
Da schleicht zu ihr er ins Zelt,
Und wie im Rausch erreicht er sein Ziel,
Haucht, da er heiß sie hält:

«Salome – schönste Blume des Morgenlands,
 Salome – du drehst heut dich für mich im Tanz!
 Salome – sollst nur einmal mir alles sein,
 Salome – schenk dein Herz mir und werde mein!»

Schwer ist sein Schlaf nach entnervender Nacht,
Schwer und von Träumen erfüllt,
Bis er von gellendem Schreien erwacht,
Das durch den Wüstensand schrillt:
«Steinigt das Weib, das vergessen die Pflicht,
Schenkte dem Fremdling ihr Herz!»
Und während jäh ihr Auge schon bricht,
Schreit er in tiefstem Schmerz:

    «Salome...»

Adieu, mein kleiner Gardeoffizier

Und eines Tages mit Sang und Klang,
Da zog ein Fähnrich zur Garde,
Ein Fähnrich, jung und voll Leichtsinn
                          und schlank,
Auf der Kappe die goldne Kokarde.
Da stand die Mutter vor ihrem Sohn,
Hielt seine Hände umschlungen,
Schenkt ihm ein kleines Medaillon,
Und sie sagt zu ihrem Jungen:

  «Adieu, mein kleiner Gardeoffizier,
  Adieu, adieu, und vergiß mich nicht!
                          Und vergiß mich nicht!
  Adieu, mein kleiner Gardeoffizier,
  Adieu, adieu, sei das Glück mit dir!
                          Sei das Glück mit dir!
  Steh gerade, kerzengerade, lache in den
                          Sonnentag,
  Was immer geschehen auch mag!
  Hast du Sorgenmienen, fort mit ihnen!
  Ta-ta-ta ra-ta-ta!
  Für Trübsal sind andere da!

Adieu, mein kleiner Gardeoffizier,
Adieu, adieu, und vergiß mich nicht!
Und vergiß mich nicht!»

Und eines Tages um neun Uhr früh,
Als er aus Träumen erwachte,
Da stand auf dem Hauptplatz die ganze
Kompanie,
Und die wartet seit dreiviertel achte.
Aus blauen Augen, so tief und schön,
Erstaunte Blicke ihn trafen,
Er sagte: «Liebling, ich muß gehn!»
Da sagt' sie noch ganz verschlafen:

«Adieu, mein kleiner Gardeoffizier...»

Und eines Tages war alles aus,
Es ruhten endlich die Waffen;
Man schickte alle Soldaten nach Haus,
Einen neuen Beruf sich zu schaffen.
Die alte Garde stand müd und bleich
Um ihren Marschall im Kreise,
Man blies den letzten Zapfenstreich,
Und der Marschall sagte leise:

«Adieu, mein kleiner Gardeoffizier...»

Autorenballaden

Johann Wilhelm Ludwig Gleim
1719–1803

Marianne[16]

Traurige und betrübte Folgen der schändlichen Eifersucht, wie auch heilsamer Unterricht, daß Eltern, die
ihre Kinder lieben, sie zu keiner Heirat zwingen, son-
dern ihnen ihren freien Willen lassen sollen; enthalten
in der Geschichte des Herrn Isaac Velten, der sich am
11. April 1756 zu Berlin eigenhändig umgebracht, nachdem er seine getreue Ehegattin Marianne und derselben
unschuldigen Liebhaber jämmerlich ermordet.

> Die Eh' ist für uns arme Sünder
> Ein Marterstand;
> Drum, Eltern! zwingt doch keine Kinder
> Ins Eheband!
> Es hilft zum höchsten Glück der Liebe
> Kein Rittergut,
> Es helfen zarte, gleiche Triebe
> Und frisches Blut!
>
> Dies wußte Fräulein Marianne
> So gut als ich;
> Dem schönsten, jüngsten, treusten Manne
> Ergab sie sich.

«Mama», sprach sie, «ich bin zum Freien
Nicht mehr zu jung;
Und, einem Manne mich zu weihen,
Schon klug genug!

Ich kann's nun länger nicht verhehlen
In meinem Sinn,
Mama, daß ich von Grund der Seelen
Verliebet bin!»
«Verliebt? In wen?» – «Ich will ihn nennen,
Ich will, allein
Sie müssen ihn nicht hassen können
Und gnädig sein.

Versprechen Sie mir das, Mamachen!
Sein Sie so gut,
Dann weiß ich ja, daß mein Papachen
Es auch gleich tut!
Leander! – Ach! Sie wollen schelten,
Ich seh' es schon!»
«Leander, Kind? O nein! Herr Velten
Sei Schwiegersohn!

Ja, ja! Herrn Velten sollst du nehmen,
Denn der hat Geld,
Und du mußt dich zu dem bequemen,
Was mir gefällt.

Wie können junge Mädchen wissen,
Was nützlich ist?
Die meisten sind erpicht aufs Küssen,
Wie du auch bist.»

«Herrn Velten soll ich? Ach, ich Arme!
Was soll mir der?
Ach, daß der Himmel sich erbarme,
Was soll mir der?»
Es schwillt von Millionen Tränen
Ihr schön Gesicht;
Und tausendmal sagt sie mit Stöhnen:
«Ich will ihn nicht!»

«Du willst ihn nicht? Ich muß nur lachen»,
Sagt die Mama,
«Wir wollen dir den Willen machen,
Ich und Papa!»
Man schleppt sie fort in einen Wagen,
Hält sie vermummt;
Man bittet sie, noch ja zu sagen,
Und sie verstummt.

Sie sieht nach einer kurzen Reise
Sich eingesperrt,
Wo, nach beliebter alter Weise,
Die Nonne plärrt.

Da soll sie beten und nicht lieben;
Allein sie weint,
Sie weint, und will sich tot betrüben
Um ihren Freund.

Einst aber geht, mit schwarzer Lüge,
Mama zu ihr:
«Kind», sagt sie, «kennst du wohl die Züge
Des Schreibens hier?
Der ew'ge Treue dir geschworen,
Hat sie verfehlt;
Leander ist für dich verloren,
Er ist vermählt.»

Schnell rollt in einem goldnen Wagen
Herr Velten her;
Auch kommt ein Mann mit weißem Kragen
Von ungefähr!
Gequälet wird, von Jung' und Alten,
Das arme Kind,
Und die Verlöbnis wird gehalten,
Ach, wie geschwind!

Nun freut ein Haufen Anverwandten
Sich auf den Tanz;
Nun binden Mütter, Nichten, Tanten
Am Myrtenkranz!

Nun schickt sich zu drei wilden Tagen
Das ganze Haus;
Und Priester gehn mit leerem Magen
Zum Hochzeitsschmaus!

Nur für die Braut ist keine Freude
Und keine Lust;
Sie quält sich mit geheimen Leide
Tief in der Brust!
Betrübt hört sie des Priesters Segen,
Sieht Velten an
Und seufzt bei lauten Herzensschlägen:
«Ach, welch ein Mann!»

Am Abend mehret sich ihr Jammer
Und ihre Pein;
Denn, ach! sie soll nun in die Kammer
Mit ihm hinein!
Wie man ein Lamm zur Schlachtbank führet,
So führt man sie.
«Seht», spricht Mama, «wie sie sich zieret,
Die Närrin die!»

Jedoch sie war am frühen Morgen
Nun eine Frau!
Sie teilte nun des Mannes Sorgen,
War nun genau,

Ihm seine Wirtschaft recht zu führen,
So Tag als Nacht,
Und keinen Heller zu verlieren
War sie bedacht!

Ach, aber ach! geheime Schmerzen
Verzehren sie;
Leander herrscht in ihrem Herzen,
So spät als früh!
«Wie mag er sich um mich nicht kränken!
Lebt er wohl noch?»
Sie will nicht mehr an ihn gedenken
Und tut es doch.

Oft sitzt sie unter einer Linde
Und spricht mit sich:
«Ach, an ihn denken, das ist Sünde,
Und die tu' ich!
Könnt' ich sie meiden, nicht mehr wissen
Im fünften Jahr,
Da, ach! Leander meinen Küssen
Einst lieber war!»

Von so schwermütigen Gedanken
Wird sie geplagt;
Sie schränkt in heil'ger Ehe Schranken
Sich ein und klagt.

Einst, als sie sich dem Gram ergibet
Und einsam sitzt
Und ihrem Ehmann, den sie liebet,
Mit Spinnen nützt,

Da tritt er in ihr stilles Zimmer
Vergnügt hinein
Und bittet sie: doch nur nicht immer
Betrübt zu sein!
Ihm folgt ein Kaufmann, der Juwelen
Und Perlen trägt
Und der im Innersten der Seelen
Betrübnis hegt.

«Kind», spricht er, «kauf dir von den Waren,
Was dir gefällt;
Wir dürfen ja nicht immer sparen,
Sieh, hier ist Geld!»
Er gibt ihr Taler, ungezählet,
Und pfeift und lacht
Und geht, weil ihm ein Braten fehlet,
Fort auf die Jagd.

Nun steht mit zitternden Gebärden
Der Kaufmann da,
Voll Furcht, von der gehaßt zu werden,
Die ihn jetzt sah;

Weil, statt der Rosen seiner Wangen,
Ein langer Bart
Herabhing, und wie sie vergangen,
Gesehen ward!

Die Augen, niederwärts geschlagen,
Sieht sie ihn an;
«Was habt Ihr», fängt sie an zu fragen,
«Mein lieber Mann?»
Er zeigt ihr seine Waren, schweiget
Und spricht kein Wort;
Doch geht, so oft er ihr was zeiget,
Ein Seufzer fort.

«Warum», denkt sie, «ist er betrübet?
Er jammert mich!
Sein Gram ist groß; gewiß, er liebet
Und seufzt wie ich.»
Sie fragt ihn: «Was für stille Schmerzen
Erduldet Ihr?
Ist Liebesgram in Eurem Herzen,
So sagt es mir!»

«Der Gram, mit welchem ich mich quäle,
Verzehret mich,
Madam! Er bleibt in meiner Seele
Wohl ewiglich!

Ein einzig Kleinod war auf Erden,
Das wünscht' ich mir;
Dadurch der Glücklichste zu werden,
Das wünscht' ich mir!

Ich bat zu Gott, es mir zu geben
Zum Eigentum;
Mein Hab und Gut und selbst mein Leben
Bot ich darum!
Mein einz'ger Wunsch und meine Freude
War, es zu sehn!
Wie war es meiner Augen Weide,
Wie war's so schön!

Ach, aber ach! in tausend Stücken
Zerriß der Schmerz,
Der nicht mit Worten auszudrücken,
Mein armes Herz!
Verzweiflung, Treue, Glück und Ehre
Bestritt mein Haupt,
Als ich vernahm: das Kleinod wäre
Mir weggeraubt!»

«Was für ein Kleinod? Darf ich's wissen?
Welch Kleinod kann
Euch so betrüben? – Darf ich's wissen,
Mein lieber Mann?

Ich dächt', Euch wäre Leben lieber
Als Stein und Gold;
Mich wundert, daß Ihr Euch darüber
Totgrämen wollt.»

«Madam, was von entfernten Mohren
Der Geiz sich holt,
Ist Kleinigkeit! Was ich verloren,
Ersetzt kein Gold;
Es war mir teurer als mein Leben
Und Gut und Geld!
Ach! was hätt' ich darum gegeben! –
Die ganze Welt!

Einst malt' ich mir aus dem Gedächtnis
Das werte Bild,
Des Himmels einziges Vermächtnis,
Das Kummer stillt.»
«Ein Bild ist es, darum Ihr klaget?
Oh, zeigt es mir!»
Er zieht es aus dem Busen, saget:
«Hier ist es, hier!»

Sie nimmt es hin, er sieht's mit Freuden
In ihrer Hand;
Es war gehüllt in Gold und Seiden;
Auswendig stand:

«Von meinen zärtlich treuen Tränen
Entstand ein Bach!
Und floß auf dieses Bild der Schönen!
Ach Himmel, ach!»

Sie macht es auf… Allein erblasset,
Vom Schreck erfüllt,
Fällt sie in Ohnmacht, denn sie fasset
Ihr eigen Bild.
«Ach Marianne! Marianne!
Ach, stirb doch nicht!
Ach, sieh mich, Engel; ach, ermanne
Dein blaß Gesicht.»

Erweckt vom Schalle dieser Worte,
Kommt sie zu sich.
«Freund», spricht sie, «flieh von diesem Orte!
Freund, meide mich!
Ein andrer Mann», sagt die Getreue,
«Hat meine Hand;
Entferne dich, denn meine Treue
Hält ihm Bestand!»

Er eilt, gehorsam dem Befehle,
Urplötzlich fort.
«Ach!» seufzt er, «ach, geliebte Seele,
Nur noch ein Wort!

Ich sterb' um dich!» Er faßt im Gehen
Die Hand ihr an;
Zum letzten Mal will er sie sehen,
Da kommt der Mann!

«Stirb», sagt er, «Räuber meiner Ehre,
Mit tausend Schmerz!»
Er tobt und stößt mit Mordgewehre
Durch beider Herz.
Leander stirbt, und Marianne
Seufzt: «Himmel, ich
Verdient' es nicht!» Sie spricht zum Manne:
«Du jammerst mich!»

Der Mann hat keine frohe Stunde;
Des Nachts erscheint
Das treue Weib, zeigt ihre Wunde
Dem Mann und weint!
Ein klägliches Gewinsel irret
Um ihn herum;
Ihn reut die Tat, er wird verwirret,
Er bringt sich um!

Beim Hören dieser Mordgeschichte
Sieht jeder Mann
Mit liebreich freundlichem Gesichte
Sein Weibchen an

Und denkt: «Wenn ich's einmal so fände,
So dächt' ich: ‹Nun,
Sie geben sich ja nur die Hände,
Das laß sie tun!›»

Johann Gottfried Herder
1744–1803

Wilhelms Geist

Da kam ein Geist zu Margreths Tür
Mit manchem Weh und Ach
Und drückt am Schloß und kehrt am Schloß
Und ächzte traurig nach.

«Ist dies mein Vater Philipp?
Od'r ist's mein Bruder Johann?
Oder ist mein Treulieb Wilhelm
Aus Schottland kommen an?»

«'s ist nicht dein Vater Philipp,
Ist nicht dein Bruder Johann.
Es ist dein Treulieb Wilhelm
Aus Schottland kommen an!

O Margreth süß! o Margreth teu'r,
Ich bitt' dich, sprich zu mir,
Gib mir mein' Hand und Pfand, Margreth,
Die ich gegeben dir.»

«Dein' Hand und Pfand geb' ich dir nicht,
's wird nimmer dein Gewinn,
Bis daß du kommst in mein Gemach
Und küßt mein' Mund und Kinn.»

«Wenn ich soll komm'n in dein Gemach,
Ich bin kein Erdenmann,
Und soll ich küssen deinen Rosenmund,
Dein Leb'n so ist's nicht lang!

O Margreth süß! o Margreth teu'r,
Ich bitt' dich, sprich zu mir,
Gib mir mein' Hand und Pfand,
Als ich's gegeben dir.» Margreth,

«Dein' Hand und Pfand geb' ich dir nicht,
Wird nimmer dein Gewinn!
Bis du mich führst den Kirchhof hin
Und gibst mir Trauering.»

«Begrab'n auf einem Kirchhof schon
Lieg' ich fern überm Meer,
's ist nur mein Geist, Margreth,
Der hier zu dir kommt her.»

Sie strecket aus ihr' Lilienhand,
Noch, was sie kann, zu tun:
«Hast Hand und Pfand da, Wilhelm,
Gott deinem Geist mach ruhn!»

Nun hatt' sie geworfen ihr' Kleider an,
Ein Stück bis nieder aufs Knie.
Die lebenslange Winternacht
Dem Leichnam folget sie.

«Ist da noch Raum zu Haupten, Wilhelm?
Oder Raum zu Fuße dir?
Oder Raum zu deiner Seite, Wilhelm?
Wo ein ich schlüpf' zu dir?»

«Da ist kein Raum zu Haupt mir, Margreth,
Kein Raum zu Füßen all!
Da ist kein Raum zur Seit' mir, Margreth,
Mein Sarg ist eng und schmal.

Denn auf und kräht der rote Hahn
Und auf und kräht der Grau'.
Ist Zeit! ist Zeit! mein Margreth teu'r,
Daß du nun von mir schaust.»

Nicht mehr der Geist zu Margreth sprach,
Aber noch mit Ach und Pein
Verschwand er in ein'n Nebel hin
Und ließ sie all' allein.

«O bleib, mein ein' Treuliebe! bleib!
Dein' Margreth ruft dir nach.»
Da schwand ihr Antlitz! sank ihr Leib!
Erblaßt ihr Auge brach.

Erlkönigs Tochter

Herr Oluf reitet spät und weit,
Zu bieten auf seine Hochzeitleut'.

Da tanzen die Elfen auf grünem Land,
Erlkönigs Tochter reicht ihm die Hand.

«Willkommen, Herr Oluf, was eilst von hier?
Tritt her in den Reihen und tanz mit mir!»

«Ich darf nicht tanzen, nicht tanzen ich mag:
Frühmorgen ist mein Hochzeittag.»

«Hör an, Herr Oluf, tritt tanzen mit mir!
Zwei güldne Sporne schenk' ich dir.

Ein Hemd von Seide so weiß und fein,
Meine Mutter bleicht's mit Mondenschein.»

«Ich darf nicht tanzen, nicht tanzen ich mag:
Frühmorgen ist mein Hochzeittag.»

«Hör an, Herr Oluf, tritt tanzen mit mir!
Einen Haufen Goldes schenk' ich dir.»

«Einen Haufen Goldes nähm' ich wohl;
Doch tanzen ich nicht darf noch soll.»

«Und willt, Herr Oluf, nicht tanzen mit mir,
Soll Seuch' und Krankheit folgen dir.»

Sie tät' einen Schlag ihm auf sein Herz,
Noch nimmer fühlt' er solchen Schmerz.

Sie hob ihn bleichend auf sein Pferd:
«Reit heim nun zu dein'm Fräulein wert!»

Und als er kam vor Hauses Tür,
Seine Mutter zitternd stand dafür.

«Hör an, mein Sohn, sag an mir gleich:
Wie ist dein' Farbe blaß und bleich?»

«Und sollt' sie nicht sein blaß und bleich?
Ich traf in Erlenkönigs Reich!»

«Hör an, mein Sohn, so lieb und traut,
Was soll ich nun sagen deiner Braut?»

«Sagt ihr, ich sei im Wald zur Stund',
Zu proben da mein Pferd und Hund.»

Frühmorgen und als es Tag kaum war,
Da kam die Braut mit der Hochzeitschar.

Sie schenkten Met, sie schenkten Wein:
«Wo ist Herr Oluf, der Bräut'gam mein?»

«Herr Oluf, er ritt in Wald zur Stund',
Er probt allda sein Pferd und Hund.»

Die Braut hob auf den Scharlach rot –
Da lag Herr Oluf, und er war tot.

Gottfried August Bürger
1747–1794

Lenore

Lenore fuhr ums Morgenrot
Empor aus schweren Träumen:
«Bist untreu, Wilhelm, oder tot?
Wie lange willst du säumen?»
Er war mit König Friedrichs[17] Macht
Gezogen in die Prager Schlacht
Und hatte nicht geschrieben:
Ob er gesund geblieben.

Der König und die Kaiserin,
Des langen Haders müde,
Erweichten ihren harten Sinn
Und machten endlich Friede;
Und jedes Heer, mit Sing und Sang,
Mit Paukenschlag und Kling und
                    Klang,
Geschmückt mit grünen Reisern,
Zog heim zu seinen Häusern.

Und überall, allüberall,
Auf Wegen und auf Stegen,
Zog alt und jung dem Jubelschall
Der Kommenden entgegen.

«Gottlob!» rief Kind und Gattin laut,
«Willkommen!» manche frohe Braut.
Ach! aber für Lenoren
War Gruß und Kuß verloren.

Sie frug den Zug wohl auf und ab
Und frug nach allen Namen;
Doch keiner war, der Kundschaft gab,
Von allen, so da kamen.
Als nun das Heer vorüber war,
Zerraufte sie ihr Rabenhaar
Und warf sich hin zur Erde
Mit wütiger Gebärde.

Die Mutter lief wohl hin zu ihr:
«Ach, daß sich Gott erbarme!
Du trautes Kind, was ist mit dir?»
Und schloß sie in die Arme.
«O Mutter, Mutter! Hin ist hin!
Nun fahre Welt und alles hin!
Bei Gott ist kein Erbarmen.
O weh, o weh mir Armen!»

«Hilf Gott, hilf! Sieh uns gnädig an!
Kind, bet ein Vaterunser!
Was Gott tut, das ist wohlgetan.
Gott, Gott erbarmt sich unser!»

«O Mutter, Mutter! Eitler Wahn!
Gott hat an mir nicht wohlgetan!
Was half, was half mein Beten?
Nun ist's nicht mehr vonnöten.»

«Hilf Gott, hilf! Wer den Vater kennt,
Der weiß, er hilft den Kindern.
Das hochgelobte Sakrament
Wird deinen Jammer lindern.»
«O Mutter, Mutter! Was mich brennt,
Das lindert mir kein Sakrament!
Kein Sakrament mag Leben
Den Toten wiedergeben.»

«Hör, Kind! Wie, wenn der falsche Mann,
Im fernen Ungerlande,
Sich seines Glaubens abgetan
Zum neuen Ehebande?
Laß fahren, Kind, sein Herz dahin!
Er hat es nimmermehr Gewinn!
Wann Seel' und Leib sich trennen,
Wird ihn sein Meineid brennen.»

«O Mutter, Mutter! Hin ist hin!
Verloren ist verloren!
Der Tod, der Tod ist mein Gewinn!
O wär' ich nie geboren!

Lisch aus, mein Licht, auf ewig aus!
Stirb hin, stirb hin in Nacht und Graus!
Bei Gott ist kein Erbarmen.
O weh, o weh mir Armen!»

«Hilf Gott, hilf! Geh nicht ins Gericht
Mit deinem armen Kinde!
Sie weiß nicht, was die Zunge spricht.
Behalt ihr nicht die Sünde!
Ach Kind, vergiß dein irdisch Leid
Und denk an Gott und Seligkeit!
So wird doch deiner Seelen
Der Bräutigam nicht fehlen.»

«O Mutter! Was ist Seligkeit?
O Mutter! Was ist Hölle?
Bei ihm, bei ihm ist Seligkeit,
Und ohne Wilhelm Hölle!
Lisch aus, mein Licht, auf ewig aus!
Stirb hin, stirb hin in Nacht und Graus!
Ohn' ihn mag ich auf Erden,
Mag dort nicht selig werden.»

So wütete Verzweifelung
Ihr in Gehirn und Adern.
Sie fuhr mit Gottes Vorsehung
Vermessen fort zu hadern;

Zerschlug den Busen und zerrang
Die Hand, bis Sonnenuntergang,
Bis auf am Himmelsbogen
Die goldnen Sterne zogen.

Und außen, horch! ging's trapp trapp trapp!
Als wie von Rosseshufen;
Und klirrend stieg ein Reiter ab
An des Geländers Stufen;
Und horch! und horch! den Pfortenring
Ganz lose, leise, klinglingling!
Dann kamen durch die Pforte
Vernehmlich diese Worte:

«Holla, holla! Tu auf, mein Kind!
Schläfst, Liebchen, oder wachst du?
Wie bist noch gegen mich gesinnt?
Und weinest oder lachst du?»
«Ach Wilhelm, du? So spät bei Nacht?
Geweinet hab' ich und gewacht;
Ach, großes Leid erlitten!
Wo kommst du hergeritten?»

«Wir satteln nur um Mitternacht.
Weit ritt ich her von Böhmen.
Ich habe spät mich aufgemacht
Und will dich mit mir nehmen.»

«Ach Wilhelm, erst herein geschwind!
Den Hagedorn durchzaust der Wind,
Herein, in meinen Armen,
Herzliebster, zu erwarmen!»

«Laß sausen durch den Hagedorn,
Laß sausen, Kind, laß sausen!
Der Rappe scharrt; es klirrt der Sporn.
Ich darf allhier nicht hausen.
Komm, schürze, spring und schwinge dich
Auf meinen Rappen hinter mich!
Muß heut noch hundert Meilen
Mit dir ins Brautbett eilen.»

«Ach! wolltest hundert Meilen noch
Mich heut ins Brautbett tragen?
Und horch! Es brummt die Glocke noch,
Die elf schon angeschlagen.»
«Sieh hin, sieh her! Der Mond scheint hell.
Wir und die Toten reiten schnell.
Ich bringe dich, zur Wette,
Noch heut ins Hochzeitbette.»

«Sag an, wo ist dein Kämmerlein?
Wo? Wie dein Hochzeitbettchen?»
«Weit, weit von hier! Still, kühl und klein!
Sechs Bretter und zwei Brettchen!»

«Hat's Raum für mich?» – «Für dich und mich!
Komm, schürze, spring und schwinge dich!
Die Hochzeitgäste hoffen;
Die Kammer steht uns offen.»

Schön Liebchen schürzte, sprang und schwang
Sich auf das Roß behende;
Wohl um den trauten Reiter schlang
Sie ihre Lilienhände;
Und hurre hurre, hopp hopp hopp!
Ging's fort in sausendem Galopp,
Daß Roß und Reiter schnoben
Und Kies und Funken stoben.

Zur rechten und zur linken Hand,
Vorbei vor ihren Blicken,
Wie flogen Anger, Heid' und Land!
Wie donnerten die Brücken!
«Graut Liebchen auch? Der Mond scheint hell!
Hurra! die Toten reiten schnell!
Graut Liebchen auch vor Toten?»
«Ach nein! Doch laß die Toten!»

Was klang dort für Gesang und Klang?
Was flatterten die Raben?
Horch Glockenklang! horch Totensang:
«Laßt uns den Leib begraben!»

Und näher zog ein Leichenzug,
Der Sarg und Totenbahre trug.
Das Lied war zu vergleichen
Dem Unkenruf in Teichen.

«Nach Mitternacht begrabt den Leib,
Mit Klang und Sang und Klage!
Jetzt führ' ich heim mein junges Weib.
Mit, mit zum Brautgelage!
Komm, Küster, hier! Komm mit dem Chor
Und gurgle mir das Brautlied vor!
Komm, Pfaff, und sprich den Segen,
Eh' wir zu Bett uns legen!»

Still Klang und Sang. Die Bahre schwand.
Gehorsam seinem Rufen,
Kam's, hurre hurre! nachgerannt,
Hart hinters Rappen Hufen.
Und immer weiter, hopp hopp hopp!
Ging's fort in sausendem Galopp,
Daß Roß und Reiter schnoben
Und Kies und Funken stoben.

Wie flogen rechts, wie flogen links
Gebirge, Bäum' und Hecken!
Wie flogen links und rechts und links
Die Dörfer, Städt' und Flecken!

«Graut Liebchen auch? Der Mond scheint hel
Hurra! die Toten reiten schnell!
Graut Liebchen auch vor Toten?»
«Ach! laß sie ruhn, die Toten!»

Sieh da! sieh da! Am Hochgericht
Tanzt' um des Rades Spindel
Halb sichtbarlich, bei Mondenlicht,
Ein luftiges Gesindel.
«Sassa! Gesindel, hier! Komm hier!
Gesindel, komm und folge mir!
Tanz uns den Hochzeitreigen,
Wann wir zu Bette steigen!»

Und das Gesindel, husch husch husch!
Kam hinten nachgeprasselt,
Wie Wirbelwind am Haselbusch
Durch dürre Blätter rasselt.
Und weiter, weiter, hopp hopp hopp!
Ging's fort in sausendem Galopp,
Daß Roß und Reiter schnoben
Und Kies und Funken stoben

Wie flog, was rund der Mond beschien,
Wie flog es in die Ferne!
Wie flogen obenüber hin
Der Himmel und die Sterne!

«Graut Liebchen auch? Der Mond scheint hell!
Hurra! die Toten reiten schnell!
Graut Liebchen auch vor Toten?»
«O weh! Laß ruhn die Toten!»

«Rapp'! Rapp'! Mich dünkt, der Hahn schon ruft.
Bald wird der Sand verrinnen.
Rapp'! Rapp'! Ich wittre Morgenluft.
Rapp'! Tummle dich von hinnen!
Vollbracht, vollbracht ist unser Lauf!
Das Hochzeitbette tut sich auf!
Die Toten reiten schnelle!
Wir sind, wir sind zur Stelle.»

Rasch auf ein eisern Gittertor
Ging's mit verhängtem Zügel.
Mit schwankender Gert' ein Schlag davor
Zersprengte Schloß und Riegel.
Die Flügel flogen klirrend auf,
Und über Gräber ging der Lauf.
Es blinkten Leichensteine
Rundum im Mondenscheine.

Ha sieh! ha sieh! Im Augenblick,
Huhu! ein gräßlich Wunder!
Des Reiters Koller, Stück für Stück,
Fiel ab wie mürber Zunder.

Zum Schädel, ohne Zopf und Schopf,
Zum nackten Schädel ward sein Kopf;
Sein Körper zum Gerippe,
Mit Stundenglas und Hippe.

Hoch bäumte sich, wild schnob der Rapp'
Und sprühte Feuerfunken;
Und hui! war's unter ihr hinab
Verschwunden und versunken.
Geheul! Geheul aus hoher Luft,
Gewinsel kam aus tiefer Gruft.
Lenorens Herz, mit Beben,
Rang zwischen Tod und Leben.

Nun tanzten wohl bei Mondenglanz,
Rundum herum im Kreise,
Die Geister einen Kettentanz
Und heulten diese Weise:
«Geduld! Geduld! Wenn's Herz auch bricht!
Mit Gott im Himmel hadre nicht!
Des Leibes bist du ledig;
Gott sei der Seele gnädig!»

Die Weiber von Weinsberg

Wer sagt mir an, wo Weinsberg liegt?
Soll sein ein wackres Städtchen,
Soll haben, fromm und klug gewiegt,
Viel Weiberchen und Mädchen.
Kommt mir einmal das Freien ein,
So werd' ich eins aus Weinsberg frein.

Einsmals der Kaiser Konrad[18] war
Dem guten Städtlein böse,
Und rückt' heran mit Kriegesschar
Und Reisigengetöse*,
Umlagert' es, mit Roß und Mann,
Und schoß und rannte drauf und dran.

Und als das Städtlein widerstand
Trotz allen seinen Nöten,
Da ließ er, hoch von Grimm entbrannt,
Den Herold 'nein trompeten:
«Ihr Schurken, komm' ich 'nein, so wißt,
Soll hängen, was die Wand bepißt**.»

---

* Söldnergebrüll
** die männlichen Gefangenen

Drob, als er den Avis also
Hinein trompeten lassen,
Gab's lautes Zetermordio
Zu Haus und auf den Gassen.
Das Brot war teuer in der Stadt;
Doch teurer noch war guter Rat.

«O weh, mir armen Korydon!
O weh mir!» Die Pastores
Schrien: «Kyrie eleison!
Wir gehn, wir gehn kapores!
O weh, mir armen Korydon!
Es juckt mir an der Kehle schon.»

Doch wann's Matthä' am letzten ist,
Trotz Raten, Tun und Beten,
So rettet oft noch Weiberlist
Aus Ängsten und aus Nöten.
Denn Pfaffentrug und Weiberlist
Gehn über alles, wie ihr wißt.

Ein junges Weibchen Lobesan,
Seit gestern erst getrauet,
Gibt einen klugen Einfall an,
Der alles Volk erbauet,
Den ihr, sofern ihr anders wollt,
Belachen und beklatschen sollt.

Zur Zeit der stillen Mitternacht
Die schönste Ambassade*
Von Weibern sich ins Lager macht
Und bettelt dort um Gnade.
Sie bettelt sanft, sie bettelt süß,
Erhält doch aber nichts als dies:

«Die Weiber sollten Abzug han,
Mit ihren besten Schätzen,
Was übrig bliebe, wollte man
Zerhauen und zerfetzen.»
Mit der Kapitulation
Schleicht die Gesandtschaft trüb davon.

Drauf, als der Morgen bricht hervor,
Gebt Achtung! Was geschiehet?
Es öffnet sich das nächste Tor,
Und jedes Weibchen ziehet,
Mit ihrem Männchen schwer im Sack,
So wahr ich lebe! Huckepack.

Manch Hofschranz suchte zwar sofort
Das Kniffchen zu vereiteln;
Doch Konrad sprach: «Ein Kaiserwort
Soll man nicht drehn noch deuteln.
Ha bravo!» rief er, «bravo so!
Meint' unsre Frau es auch nur so!»

---

* Abordnung

Er gab Pardon und ein Bankett,
Den Schönen zu gefallen.
Da ward gegeigt, da ward trompet't
Und durchgetanzt mit allen,
Wie mit der Burgemeisterin,
So mit der Besenbinderin.

Ei, sagt mir doch, wo Weinsberg liegt?
Ist gar ein wackres Städtchen.
Hat, treu und fromm und klug gewiegt,
Viel Weiberchen und Mädchen.
Ich muß, kommt mir das Freien ein,
Fürwahr! muß eins aus Weinsberg frein.

Ludwig Christoph Heinrich Hölty
1748–1776

Die Nonne

Es liebt' in Welschland irgendwo
Ein schöner junger Ritter
Ein Mädchen, das der Welt entfloh,
Trotz Klostertor und Gitter;
Sprach viel von seiner Liebespein
Und schwur, auf seinen Knien,
Sie aus dem Kerker zu befrein
Und stets für sie zu glühen.

«Bei diesem Muttergottesbild,
Bei diesem Jesuskinde,
Das ihre Mutterarme füllt,
Schwör' ich's dir, o Belinde!
Dir ist mein ganzes Herz geweiht,
Solang ich Odem habe,
Bei meiner Seelen Seligkeit!
Dich lieb' ich bis zum Grabe.»

Was glaubt ein armes Mädchen nicht,
Zumal in einer Zelle?
Ach! sie vergaß der Nonnenpflicht,
Des Himmels und der Hölle.

Die, von den Engeln angeschaut,
Sich ihrem Jesu weihte,
Die reine schöne Gottesbraut,
Ward eines Frevlers Beute.

Drauf wurde, wie die Männer sind,
Sein Herz von Stund' an lauer,
Er überließ das arme Kind
Auf ewig ihrer Trauer,
Vergaß der alten Zärtlichkeit
Und aller seiner Eide
Und flog, im bunten Galakleid,
Nach neuer Augenweide;

Begann mit andern Weibern Reihn
Im kerzenhellen Saale,
Gab andern Weibern Schmeichelein
Beim lauten Traubenmahle.
Und rühmte sich des Minneglücks
Bei seiner schönen Nonne
Und jedes Kusses, jedes Blicks
Und jeder andern Wonne.

Die Nonne, voll von welscher Wut,
Entglüht' in ihrem Mute
Und sann auf nichts als Dolch und Blut
Und schwamm in lauter Blute.

Sie dingte plötzlich eine Schar
Von wilden Meuchelmördern,
Den Mann, der treulos worden war,
Ins Totenreich zu fördern.

Die bohren manches Mörderschwert
In seine schwarze Seele;
Sein schwarzer falscher Geist entfährt
Wie Schwefeldampf der Höhle;
Er wimmert durch die Luft, wo sein'
Ein Krallenteufel harret.
Drauf ward sein blutendes Gebein
In eine Gruft verscharret.

Die Nonne flog, wie Nacht begann,
Zur kleinen Dorfkapelle
Und riß den wunden Rittersmann
Aus seiner Ruhestelle,
Riß ihm das Bubenherz heraus,
Recht ihren Zorn zu büßen*,
Und trat es, daß das Gotteshaus
Erschallte, mit den Füßen.

Ihr Geist soll, wie die Sagen gehn,
In dieser Kirche weilen
Und, bis im Dorf die Hahnen krähn,
Bald wimmern und bald heulen.

---

* befriedigen

Sobald der Seiger* zwölfe schlägt,
Rauscht sie, an Grabsteinwänden,
Aus einer Gruft empor und trägt
Ein blutend Herz in Händen.

Die tiefen hohlen Augen sprühn
Ein düsterrotes Feuer
Und glühn, wie Schwefelflammen glühn,
Durch ihren weißen Schleier.
Sie gafft auf das zerrißne Herz
Mit wilder Rachgebärde,
Und hebt es dreimal himmelwärts
Und wirft es auf die Erde;

Und rollt die Augen voller Wut,
Die eine Hölle blicken,
Und schüttelt aus dem Schleier Blut
Und stampft das Herz in Stücken.
Ein dunkler Totenflimmer macht
Indes die Fenster helle.
Der Wächter, der das Dorf bewacht,
Sah's oft in der Kapelle.

---

* Kirchenuhr

Johann Wolfgang Goethe
1749–1832

Erlkönig

Wer reitet so spät durch Nacht und Wind?
Es ist der Vater mit seinem Kind;
Er hat den Knaben wohl in dem Arm,
Er faßt ihn sicher, er hält ihn warm.

«Mein Sohn, was birgst du so bang dein Gesicht?»
«Siehst, Vater, du den Erlkönig nicht?
Den Erlenkönig mit Kron' und Schweif?»
«Mein Sohn, es ist ein Nebelstreif.»

«Du liebes Kind, komm, geh mit mir!
Gar schöne Spiele spiel' ich mit dir;
Manch bunte Blumen sind an dem Strand;
Meine Mutter hat manch gülden Gewand.»

«Mein Vater, mein Vater, und hörest du nicht,
Was Erlenkönig mir leise verspricht?»
«Sei ruhig, bleibe ruhig, mein Kind;
In dürren Blättern säuselt der Wind.»

«Willst, feiner Knabe, du mit mir gehn?
Meine Töchter sollen dich warten schön;
Meine Töchter führen den nächtlichen Reihn
Und wiegen und tanzen und singen dich ein.»

«Mein Vater, mein Vater, und siehst du nicht dor
Erlkönigs Töchter am düstern Ort?»
«Mein Sohn, mein Sohn, ich seh' es genau;
Es scheinen die alten Weiden so grau.»

«Ich liebe dich, mich reizt deine schöne Gestalt;
Und bist du nicht willig, so brauch' ich Gewalt.»
«Mein Vater, mein Vater, jetzt faßt er mich an!
Erlkönig hat mir ein Leids getan!»

Dem Vater grauset's, er reitet geschwind,
Er hält in Armen das ächzende Kind,
Erreicht den Hof mit Mühe und Not;
In seinen Armen das Kind war tot.

Der König in Thule

Es war ein König in Thule[19]
Gar treu bis an das Grab,
Dem sterbend seine Buhle
Einen goldnen Becher gab.

Es ging ihm nichts darüber,
Er leert' ihn jeden Schmaus;
Die Augen gingen ihm über,
So oft er trank daraus.

Und als er kam zu sterben,
Zählt' er seine Städt' im Reich,
Gönnt' alles seinem Erben,
Den Becher nicht zugleich.

Er saß beim Königsmahle,
Die Ritter um ihn her,
Auf hohem Vätersaale,
Dort auf dem Schloß am Meer.

Dort stand der alte Zecher,
Trank letzte Lebensglut,
Und warf den heil'gen Becher
Hinunter in die Flut.

Er sah ihn stürzen, trinken
Und sinken tief ins Meer.
Die Augen täten ihm sinken;
Trank nie einen Tropfen mehr.

Der Zauberlehrling

Hat der alte Hexenmeister
Sich doch einmal weggegeben!
Und nun sollen seine Geister
Auch nach meinem Willen leben.
Seine Wort' und Werke
Merkt' ich, und den Brauch,
Und mit Geistesstärke
Tu' ich Wunder auch.

    Walle! walle
    Manche Strecke,
    Daß, zum Zwecke,
    Wasser fließe,
    Und mit reichem vollem Schwalle
    Zu dem Bade sich ergieße.

Und nun komm, du alter Besen!
Nimm die schlechten Lumpenhüllen;
Bist schon lange Knecht gewesen;
Nun erfülle meinen Willen!
Auf zwei Beinen stehe,
Oben sei ein Kopf,
Eile nun und gehe
Mit dem Wassertopf!

Walle! walle
Manche Strecke,
Daß, zum Zwecke,
Wasser fließe,
Und mit reichem vollem Schwalle
Zu dem Bade sich ergieße.

Seht, er läuft zum Ufer nieder;
Wahrlich! ist schon an dem Flusse,
Und mit Blitzesschnelle wieder
Ist er hier mit raschem Gusse.
Schon zum zweiten Male!
Wie das Becken schwillt!
Wie sich jede Schale
Voll mit Wasser füllt!

Stehe! stehe!
Denn wir haben
Deiner Gaben
Vollgemessen! –
Ach, ich merk' es! Wehe! wehe!
Hab' ich doch das Wort vergessen!

Ach! das Wort, worauf am Ende
Er das wird, was er gewesen.
Ach, er läuft und bringt behende!
Wärst du doch der alte Besen!

Immer neue Güsse
Bringt er schnell herein,
Ach! und hundert Flüsse
Stürzen auf mich ein.

　　Nein, nicht länger
　　Kann ich's lassen;
　　Will ihn fassen.
　　Das ist Tücke!
　　Ach! nun wird mir immer bänger!
　　Welche Miene! welche Blicke!

O du Ausgeburt der Hölle!
Soll das ganze Haus ersaufen?
Seh' ich über jede Schwelle
Doch schon Wasserströme laufen.
Ein verruchter Besen,
Der nicht hören will!
Stock, der du gewesen,
Steh doch wieder still!

　　Willst's am Ende
　　Gar nicht lassen?
　　Will dich fassen,
　　Will dich halten,
　　Und das alte Holz behende
　　Mit dem scharfen Beile spalten.

Seht, da kommt er schleppend wieder!
Wie ich mich nur auf dich werfe,
Gleich, o Kobold, liegst du nieder;
Krachend trifft die glatte Schärfe.
Wahrlich! brav getroffen!
Seht, er ist entzwei!
Und nun kann ich hoffen,
Und ich atme frei!

> Wehe! wehe!
> Beide Teile
> Stehn in Eile
> Schon als Knechte
> Völlig fertig in die Höhe!
> Helft mir, ach! ihr hohen Mächte!

Und sie laufen! Naß und nässer
Wird's im Saal und auf den Stufen.
Welch entsetzliches Gewässer!
Herr und Meister! hör mich rufen! –
Ach, da kommt der Meister!
Herr, die Not ist groß!
Die ich rief, die Geister,
Werd' ich nun nicht los.

> «In die Ecke,
> Besen! Besen!
> Seid's gewesen.

Denn als Geister
Ruft euch nur, zu seinem Zwecke,
Erst hervor der alte Meister.»

Die Braut von Corinth

Nach Corinthus von Athen gezogen
Kam ein Jüngling, dort noch unbekannt.
Einen Bürger hofft' er sich gewogen;
Beide Väter waren gastverwandt,
Hatten frühe schon
Töchterchen und Sohn,
Braut und Bräutigam voraus genannt.

Aber wird er auch willkommen scheinen,
Wenn er teuer nicht die Gunst erkauft?
Er ist noch ein Heide mit den Seinen,
Und sie sind schon Christen und getauft.
Keimt ein Glaube neu,
Wird oft Lieb' und Treu'
Wie ein böses Unkraut ausgerauft.

Und schon lag das ganze Haus im Stillen,
Vater, Töchter, nur die Mutter wacht;
Sie empfängt den Gast mit bestem Willen,
Gleich ins Prunkgemach wird er gebracht.
Wein und Essen prangt
Eh' er es verlangt:
So versorgend wünscht sie gute Nacht.

Aber bei dem wohlbestellten Essen
Wird die Lust der Speise nicht erregt;
Müdigkeit läßt Speis und Trank vergessen,
Daß er angekleidet sich aufs Bette legt;
Und er schlummert fast,
Als ein seltner Gast
Sich zur offnen Tür herein bewegt.

Denn er sieht, bei seiner Lampe Schimmer
Tritt, mit weißem Schleier und Gewand,
Sittsam still ein Mädchen in das Zimmer,
Um die Stirn ein schwarz' und goldnes Band.
Wie sie ihn erblickt,
Hebt sie, die erschrickt,
Mit Erstaunen eine weiße Hand.

«Bin ich», rief sie aus, «so fremd im Hause,
Daß ich von dem Gaste nichts vernahm?
Ach, so hält man mich in meiner Klause!
Und nun überfällt mich hier die Scham.
Ruhe nur so fort
Auf dem Lager dort,
Und ich gehe schnell, so wie ich kam.»

«Bleibe, schönes Mädchen!» ruft der Knabe,
Rafft von seinem Lager sich geschwind:
«Hier ist Ceres', hier ist Bacchus' Gabe;
Und du bringst den Amor, liebes Kind!

Bist vor Schrecken blaß!
Liebe, komm und laß,
Laß uns sehn, wie froh die Götter sind.»

«Ferne bleib, o Jüngling! bleibe stehen;
Ich gehöre nicht den Freuden an.
Schon der letzte Schritt ist, ach!
               geschehen,
Durch der guten Mutter kranken Wahn,
Die genesend schwur:
Jugend und Natur
Sei dem Himmel künftig untertan.

Und der alten Götter bunt Gewimmel
Hat sogleich das stille Haus geleert.
Unsichtbar wird einer nur im Himmel,
Und ein Heiland wird am Kreuz verehrt;
Opfer fallen hier,
Weder Lamm noch Stier,
Aber Menschenopfer unerhört.»

Und er fragt und wäget alle Worte,
Deren keines seinem Geist entgeht.
«Ist es möglich, daß am stillen Orte
Die geliebte Braut hier vor mir steht?
Sei die Meine nur!
Unsrer Väter Schwur
Hat vom Himmel Segen uns erfleht.»

«Mich erhältst du nicht, du gute Seele!
Meiner zweiten Schwester gönnt man dich.
Wenn ich mich in stiller Klause quäle,
Ach! in ihren Armen denk an mich,
Die an dich nur denkt,
Die sich liebend kränkt;
In die Erde bald verbirgt sie sich.»

«Nein! bei dieser Flamme sei's geschworen,
Gütig zeigt sie Hymen uns voraus;
Bist der Freude nicht und mir verloren,
Kommst mit mir in meines Vaters Haus.
Liebchen, bleibe hier!
Fei're gleich mit mir
Unerwartet unsern Hochzeitschmaus.»

Und schon wechseln sie der Treue Zeichen;
Golden reicht sie ihm die Kette dar,
Und er will ihr eine Schale reichen,
Silbern, künstlich, wie nicht eine war.
«Die ist nicht für mich;
Doch, ich bitte dich,
Eine Locke gib von deinem Haar.»

Eben schlug die dumpfe Geisterstunde,
Und nun schien es ihr erst wohl zu sein.
Gierig schlürfte sie mit blassem Munde
Nun den dunkel blutgefärbten Wein;

Doch vom Weizenbrot,
Das er freundlich bot,
Nahm sie nicht den kleinsten Bissen ein.

Und dem Jüngling reichte sie die Schale,
Der, wie sie, nun hastig lüstern trank.
Liebe fordert er beim stillen Mahle;
Ach, sein armes Herz war liebekrank.
Doch sie widersteht,
Wie er immer fleht,
Bis er weinend auf das Bette sank.

Und sie kommt und wirft sich zu ihm
                                    nieder:
«Ach, wie ungern seh' ich dich gequält!
Aber, ach! berührst du meine Glieder,
Fühlst du schaudernd, was ich dir verhehlt.
Wie der Schnee so weiß,
Aber kalt wie Eis,
Ist das Liebchen, das du dir erwählt.»

Heftig faßt er sie mit starken Armen,
Von der Liebe Jugendkraft durchmannt:
«Hoffe doch bei mir noch zu erwarmen,
Wärst du selbst mir aus dem Grab gesandt!
Wechselhauch und Kuß!
Liebesüberfluß!
Brennst du nicht und fühlest mich entbrannt?»

Liebe schließet fester sie zusammen,
Tränen mischen sich in ihre Lust;
Gierig saugt sie seines Mundes Flammen,
Eins ist nur im andern sich bewußt.
Seine Liebeswut
Wärmt ihr starres Blut,
Doch es schlägt kein Herz in ihrer Brust.

Unterdessen schleichet auf dem Gange
Häuslich spät die Mutter noch vorbei,
Horchet an der Tür und horchet lange,
Welch ein sonderbarer Ton es sei.
Klag- und Wonnelaut
Bräutigams und Braut
Und des Liebestammelns Raserei.

Unbeweglich bleibt sie an der Türe,
Weil sie erst sich überzeugen muß,
Und sie hört die höchsten Liebesschwüre,
Lieb' und Schmeichelworte, mit Verdruß:
«Still! der Hahn erwacht!
Aber morgen nacht
Bist du wieder da?» – und Kuß auf Kuß.

Länger hält die Mutter nicht das Zürnen,
Öffnet das bekannte Schloß geschwind:
«Gibt es hier im Hause solche Dirnen,
Die dem Fremden gleich zu Willen sind?»

So zur Tür hinein.
Bei der Lampe Schein
Sieht sie – Gott! sie sieht ihr eigen Kind.

Und der Jüngling will im ersten Schrecken
Mit des Mädchens eignem Schleierflor,
Mit dem Teppich die Geliebte decken;
Doch sie windet gleich sich selbst hervor.
Wie mit Geists Gewalt
Hebet die Gestalt
Lang und langsam sich im Bett empor.

«Mutter! Mutter!» spricht sie hohle
                              Worte:
«So mißgönnt Ihr mir die schöne Nacht!
Ihr vertreibt mich von dem warmen Orte.
Bin ich zur Verzweiflung nur erwacht?
Ist's Euch nicht genug,
Daß ins Leichentuch,
Daß Ihr früh mich in das Grab gebracht?

Aber aus der schwerbedeckten Enge
Treibet mich ein eigenes Gericht.
Eurer Priester summende Gesänge
Und ihr Segen haben kein Gewicht;
Salz und Wasser kühlt
Nicht, wo Jugend fühlt;
Ach! die Erde kühlt die Liebe nicht.

Dieser Jüngling war mir erst versprochen,
Als noch Venus' heitrer Tempel stand.
Mutter, habt Ihr doch das Wort gebrochen,
Weil ein fremd, ein falsch Gelübd' Euch band!
Doch kein Gott erhört,
Wenn die Mutter schwört,
Zu versagen ihrer Tochter Hand.

Aus dem Grabe werd' ich ausgetrieben,
Noch zu suchen das vermißte Gut,
Noch den schon verlornen Mann zu lieben,
Und zu saugen seines Herzens Blut.
Ist's um den geschehn,
Muß nach andern gehn,
Und das junge Volk erliegt der Wut.

Schöner Jüngling! kannst nicht länger leben;
Du versiechest nun an diesem Ort.
Meine Kette hab' ich dir gegeben;
Deine Locke nehm' ich mit mir fort.
Sieh sie an genau!
Morgen bist du grau,
Und nur braun erscheinst du wieder dort.

Höre, Mutter, nun die letzte Bitte:
Einen Scheiterhaufen schichte du;
Öffne meine bange kleine Hütte,
Bring in Flammen Liebende zur Ruh'!

Wenn der Funke sprüht,
Wenn die Asche glüht,
Eilen wir den alten Göttern zu.»

Der Totentanz

Der Türmer, der schaut zu Mitten der Nacht
Hinab auf die Gräber in Lage;
Der Mond, der hat alles ins Helle gebracht;
Der Kirchhof, er liegt wie am Tage.
Da regt sich ein Grab und ein anderes dann:
Sie kommen hervor, ein Weib da, ein Mann,
In weißen und schleppenden Hemden.

Das reckt nun, es will sich ergetzen sogleich,
Die Knöchel zur Runde, zum Kranze,
So arm und so jung, und so alt und so reich;
Doch hindern die Schleppen am Tanze.
Und weil hier die Scham nun nicht weiter gebeut,
Sie schütteln sich alle, da liegen zerstreut
Die Hemdelein über den Hügeln.

Nun hebt sich der Schenkel, nun wackelt das Bein,
Gebärden da gibt es vertrackte;
Dann klippert's und klappert's mitunter hinein,
Als schlüg' man die Hölzlein zum Takte.
Das kommt nun dem Türmer so lächerlich vor;
Da raunt ihm der Schalk, der Versucher, ins Ohr:
«Geh! hole dir einen der Laken.»

Getan wie gedacht! Und er flüchtet sich schnell
Nun hinter geheiligte Türen.
Der Mond und noch immer er scheinet so hell
Zum Tanz, den sie schauderlich führen.
Doch endlich verlieret sich dieser und der,
Schleicht eins nach dem andern gekleidet einher,
Und husch ist es unter dem Rasen.

Nur einer, der trippelt und stolpert zuletzt
Und tappet und grapst an den Grüften;
Doch hat kein Geselle so schwer ihn verletzt;
Er wittert das Tuch in den Lüften.
Er rüttelt die Turmtür, sie schlägt ihn zurück,
Geziert und gesegnet, dem Türmer zum Glück,
Sie blinkt von metallenen Kreuzen.

Das Hemd muß er haben, da rastet er nicht,
Da gilt auch kein langes Besinnen,
Den gotischen Zierat ergreift nun der Wicht
Und klettert von Zinne zu Zinnen.
Nun ist's um den Armen, den Türmer, getan!
Es ruckt sich von Schnörkel zu Schnörkel hinan,
Langbeinigen Spinnen vergleichbar.

Der Türmer erbleichet, der Türmer erbebt,
Gern gäb' er ihn wieder den Laken.
Da häckelt – jetzt hat er am längsten gelebt –
Den Zipfel ein eiserner Zacken.

Schon trübet der Mond sich verschwindenden
                              Scheins,
Die Glocke, sie donnert ein mächtiges Eins,
Und unten zerschellt das Gerippe.

Friedrich Schiller
1759–1805

Der Ring des Polykrates

Er stand auf seines Daches Zinnen,
Er schaute mit vergnügten Sinnen
Auf das beherrschte Samos hin.
«Dies alles ist mir untertänig»,
Begann er zu Ägyptens König,
«Gestehe, daß ich glücklich bin.»

«Du hast der Götter Gunst erfahren!
Die vormals deinesgleichen waren,
Sie zwingt jetzt deines Zepters Macht.
Doch einer lebt noch, sie zu rächen,
Dich kann mein Mund nicht glücklich
                                    sprechen,
So lang des Feindes Auge wacht.»

Und eh' der König noch geendet,
Da stellt sich, von Milet gesendet,
Ein Bote dem Tyrannen dar:
«Laß, Herr, des Opfers Düfte steigen,
Und mit des Lorbeers muntern Zweigen
Bekränze dir dein festlich Haar.

Getroffen sank dein Feind vom Speere,
Mich sendet mit der frohen Märe
Dein treuer Feldherr Polydor...»
Und nimmt aus einem schwarzen Becken,
Noch blutig, zu der beiden Schrecken,
Ein wohlbekanntes Haupt hervor.

Der König tritt zurück mit Grauen:
«Doch warn' ich dich, dem Glück zu trauen»,
Versetzt er mit besorgtem Blick.
«Bedenk, auf ungetreuen Wellen,
Wie leicht kann sie der Sturm zerschellen,
Schwimmt deiner Flotte zweifelnd Glück.»

Und eh' er noch das Wort gesprochen,
Hat ihn der Jubel unterbrochen,
Der von der Reede jauchzend schallt.
Mit fremden Schätzen reich beladen
Kehrt zu den heimischen Gestaden
Der Schiffe mastenreicher Wald.

Der königliche Gast erstaunet:
«Dein Glück ist heute gut gelaunet,
Doch fürchte seinen Unbestand.
Der Kreter waffenkund'ge Scharen
Bedräuen dich mit Kriegsgefahren,
Schon nahe sind sie diesem Strand.»

Und eh' ihm noch das Wort entfallen,
Da sieht man's von den Schiffen wallen,
Und tausend Stimmen rufen: «Sieg!
Von Feindesnot sind wir befreiet,
Die Kreter hat der Sturm zerstreuet,
Vorbei, geendet ist der Krieg!»

Das hört der Gastfreund mit Entsetzen:
«Fürwahr, ich muß dich glücklich schätzen,
Doch», spricht er, «zittr' ich für dein Heil.
Mir grauet vor der Götter Neide:
Des Lebens ungemischte Freude
Ward keinem Irdischen zuteil.

Auch mir ist alles wohl geraten,
Bei allen meinen Herrschertaten
Begleitet mich des Himmels Huld;
Doch hatt' ich einen teuren Erben,
Den nahm mir Gott, ich sah ihn sterben,
Dem Glück bezahlt' ich meine Schuld.

Drum, willst du dich vor Leid bewahren,
So flehe zu den Unsichtbaren,
Daß sie zum Glück den Schmerz verleihn.
Noch keinen sah ich fröhlich enden,
Auf den mit immer vollen Händen
Die Götter ihre Gaben streun.

Und wenn's die Götter nicht gewähren,
So acht auf eines Freundes Lehren
Und rufe selbst das Unglück her,
Und was von allen deinen Schätzen
Dein Herz am höchsten mag ergetzen,
Das nimm und wirf's in dieses Meer.»

Und jener spricht, von Furcht beweget:
«Von allem, was die Insel heget,
Ist dieser Ring mein höchstes Gut.
Ihn will ich den Erinnen[20] weihen,
Ob sie mein Glück mir dann verzeihen...»
Und wirft das Kleinod in die Flut.

Und bei des nächsten Morgens Lichte,
Da tritt mit fröhlichem Gesichte
Ein Fischer vor den Fürsten hin:
«Herr, diesen Fisch hab' ich gefangen,
Wie keiner noch ins Netz gegangen,
Dir zum Geschenke bring' ich ihn.»

Und als der Koch den Fisch zerteilet,
Kommt er bestürzt herbeigeeilet
Und ruft mit hocherstauntem Blick:
«Sieh, Herr, den Ring, den du getragen,
Ihn fand ich in des Fisches Magen,
Oh, ohne Grenzen ist dein Glück!»

Hier wendet sich der Gast mit Grausen:
«So kann ich hier nicht ferner hausen,
Mein Freund kannst du nicht weiter sein.
Die Götter wollen dein Verderben –
Fort eil' ich, nicht mit dir zu sterben.»
Und sprach's und schiffte schnell sich ein.

Der Taucher

«Wer wagt es, Rittersmann oder Knapp',
Zu tauchen in diesen Schlund?
Einen goldnen Becher werf' ich hinab,
Verschlungen schon hat ihn der schwarze Mund.
Wer mir den Becher kann wieder zeigen,
Er mag ihn behalten, er ist sein eigen.»

Der König spricht es und wirft von der Höh'
Der Klippe, die schroff und steil
Hinaushängt in die unendliche See,
Den Becher in der Charybde Geheul.
«Wer ist der Beherzte, ich frage wieder,
Zu tauchen in diese Tiefe nieder?»

Und die Ritter, die Knappen um ihn her
Vernehmen's und schweigen still,
Sehen hinab in das wilde Meer,
Und keiner den Becher gewinnen will.
Und der König zum dritten Mal wieder fraget:
«Ist keiner, der sich hinunter waget?»

Doch alles noch stumm bleibt wie zuvor,
Und ein Edelknecht, sanft und keck,
Tritt aus der Knappen zagendem Chor,
Und den Gürtel wirft er, den Mantel weg,

Und alle die Männer umher und Frauen
Auf den herrlichen Jüngling verwundert
                schauen.

Und wie er tritt an des Felsen Hang
Und blickt in den Schlund hinab,
Die Wasser, die sie hinunterschlang,
Die Charybde jetzt brüllend wiedergab,
Und wie mit des fernen Donners Getose
Entstürzen sie schäumend dem finstern Schoße

Und es wallet und siedet und brauset und zisch
Wie wenn Wasser mit Feuer sich mengt,
Bis zum Himmel spritzet der dampfende Gisch
Und Flut auf Flut sich ohn' Ende drängt,
Und will sich nimmer erschöpfen und leeren,
Als wollte das Meer noch ein Meer gebären.

Doch endlich, da legt sich die wilde Gewalt,
Und schwarz aus dem weißen Schaum
Klafft hinunter ein gähnender Spalt,
Grundlos, als ging's in den Höllenraum,
Und reißend sieht man die brandenden Wogen
Hinab in den strudelnden Trichter gezogen.

Jetzt schnell, eh' die Brandung wiederkehrt,
Der Jüngling sich Gott befiehlt,

Und – ein Schrei des Entsetzens wird rings
                  gehört,
Und schon hat ihn der Wirbel hinweggespült,
Und geheimnisvoll über dem kühnen
                  Schwimmer
Schließt sich der Rachen, er zeigt sich nimmer.

Und stille wird's über dem Wasserschlund,
In der Tiefe nur brauset es hohl,
Und bebend hört man von Mund zu Mund:
«Hochherziger Jüngling, fahre wohl!»
Und hohler und hohler hört man's heulen,
Und es harrt noch mit bangem, mit
                  schrecklichem Weilen.

Und würfst du die Krone selber hinein
Und sprächst: «Wer mir bringet die Kron',
Er soll sie tragen und König sein» –
Mich gelüstete nicht nach dem teuren Lohn.
Was die heulende Tiefe da unten verhehle,
Das erzählt keine lebende glückliche Seele.

Wohl manches Fahrzeug, vom Strudel gefaßt,
Schoß gäh in die Tiefe hinab,
Doch zerschmettert nur rangen sich Kiel
                  und Mast
Hervor aus dem alles verschlingenden Grab. –

Und heller und heller, wie Sturmes Sausen,
Hört man's näher und immer näher brausen.

Und es wallet und siedet und brauset und zischt,
Wie wenn Wasser mit Feuer sich mengt,
Bis zum Himmel spritzet der dampfende Gischt,
Und Well' auf Well' sich ohn' Ende drängt,
Und wie mit des fernen Donners Getose
Entstürzt es brüllend dem finstern Schoße.

Und sieh! aus dem finster flutenden Schoß
Da hebet sich's schwanenweiß,
Und ein Arm und ein glänzender Nacken
                              wird bloß,
Und es rudert mit Kraft und mit emsigem Fleiß,
Und er ist's, und hoch in seiner Linken
Schwingt er den Becher mit freudigem Winken.

Und atmete lang und atmete tief
Und begrüßte das himmlische Licht.
Mit Frohlocken es einer dem andern rief:
«Er lebt! Er ist da! Es behielt ihn nicht!
Aus dem Grab, aus der strudelnden Wasserhöhle
Hat der Brave gerettet die lebende Seele.»

Und er kommt, es umringt ihn die jubelnde Scha
Zu des Königs Füßen er sinkt,

Den Becher reicht er ihm knieend dar,
Und der König der lieblichen Tochter winkt,
Die füllt ihn mit funkelndem Wein bis zum
                                        Rande,
Und der Jüngling sich also zum König wandte:

«Lang lebe der König! Es freue sich,
Wer da atmet im rosigten Licht!
Da unten aber ist's fürchterlich,
Und der Mensch versuche die Götter nicht
Und begehre nimmer und nimmer zu schauen,
Was sie gnädig bedecken mit Nacht und
                                        Grauen.

Es riß mich hinunter blitzesschnell –
Da stürzt' mir aus felsigtem Schacht
Wildflutend entgegen ein reißender Quell:
Mich packte des Doppelstroms wütende Macht,
Und wie einen Kreisel mit schwindelndem
                                        Drehen
Trieb mich's um, ich konnte nicht widerstehen.

Da zeigte mir Gott, zu dem ich rief
In der höchsten schrecklichen Not,
Aus der Tiefe ragend ein Felsenriff,
Das erfaßt' ich behend und entrann dem Tod –

Und da hing auch der Becher an spitzen
                          Korallen,
Sonst wär' er ins Bodenlose gefallen.

Denn unter mir lag's noch, bergetief,
In purpurner Finsternis da,
Und ob's hier dem Ohre gleich ewig schlief,
Das Auge mit Schaudern hinuntersah,
Wie's von Salamandern und Molchen
                        und Drachen
Sich regt' in dem furchtbaren Höllenrachen.

Schwarz wimmelten da, in grausem Gemisch,
Zu scheußlichen Klumpen geballt,
Der stachligte Roche, der Klippenfisch,
Des Hammers greuliche Ungestalt,
Und dräuend wies mir die grimmigen Zähne
Der entsetzliche Hai, des Meeres Hyäne.

Und da hing ich, und war's mir mit Grausen
                        bewußt,
Von der menschlichen Hilfe so weit,
Unter Larven die einzige fühlende Brust,
Allein in der gräßlichen Einsamkeit,
Tief unter dem Schall der menschlichen Rede
Bei den Ungeheuern der traurigen Öde.

Und schaudernd dacht' ich's, da kroch's heran,
Regte hundert Gelenke zugleich,
Will schnappen nach mir – in des Schreckens
                              Wahn
Lass' ich los der Koralle umklammerten Zweig;
Gleich faßt mich der Strudel mit rasendem
                              Toben,
Doch es war mir zum Heil, er riß mich
                              nach oben.»

Der König darob sich verwundert schier
Und spricht: «Der Becher ist dein,
Und diesen Ring noch bestimm' ich dir,
Geschmückt mit dem köstlichsten Edelgestein,
Versuchst du's noch einmal und
                              bringst mir Kunde,
Was du sahst auf des Meers tiefunterstem
                              Grunde.»

Das hörte die Tochter mit weichem Gefühl,
Und mit schmeichelndem Munde sie fleht:
«Laßt, Vater, genug sein das grausame Spiel!
Er hat Euch bestanden, was keiner besteht,
Und könnt Ihr des Herzens Gelüsten
                              nicht zähmen,
So mögen die Ritter den Knappen beschämen.»

Drauf der König greift nach dem Becher schnell
In den Strudel ihn schleudert hinein:
«Und schaffst du den Becher mir wieder zur Stell
So sollst du der trefflichste Ritter mir sein
Und sollst sie als Ehgemahl heut noch umarmen
Die jetzt für dich bittet mit zartem Erbarmen.»

Da ergreift's ihm die Seele mit Himmelsgewalt,
Und es blitzt aus den Augen ihm kühn,
Und er siehet erröten die schöne Gestalt
Und sieht sie erbleichen und sinken hin –
Da treibt's ihn, den köstlichen Preis
                    zu erwerben,
Und stürzt hinunter auf Leben und Sterben.

Wohl hört man die Brandung, wohl kehrt sie
                    zurück,
Sie verkündigt der donnernde Schall –
Da bückt sich's hinunter mit liebendem Blick:
Es kommen, es kommen die Wasser all,
Sie rauschen herauf, sie rauschen nieder,
Den Jüngling bringt keines wieder.

Der Handschuh

Vor seinem Löwengarten,
Das Kampfspiel zu erwarten,
Saß König Franz[21],
Und um ihn die Großen der Krone,
Und rings auf hohem Balkone
Die Damen in schönem Kranz.

Und wie er winkt mit dem Finger,
Auf tut sich der weite Zwinger,
Und hinein mit bedächtigem Schritt
Ein Löwe tritt
Und sieht sich stumm
Rings um,
Mit langem Gähnen,
Und schüttelt die Mähnen
Und streckt die Glieder
Und legt sich nieder.

Und der König winkt wieder,
Da öffnet sich behend
Ein zweites Tor,
Daraus rennt
Mit wildem Sprunge
Ein Tiger hervor.

Wie der den Löwen erschaut,
Brüllt er laut,
Schlägt mit dem Schweif
Einen furchtbaren Reif
Und recket die Zunge,
Und im Kreise scheu
Umgeht er den Leu
Grimmig schnurrend,
Drauf streckt er sich murrend
Zur Seite nieder.

Und der König winkt wieder,
Da speit das doppelt geöffnete Haus
Zwei Leoparden auf einmal aus,
Die stürzen mit mutiger Kampfbegier
Auf das Tigertier;
Das packt sie mit seinen grimmigen Tatzen
Und der Leu mit Gebrüll
Richtet sich auf – da wird's still,
Und herum im Kreis,
Von Mordsucht heiß,
Lagern sich die greulichen Katzen.

Da fällt von des Altans Rand
Ein Handschuh von schöner Hand
Zwischen den Tiger und den Leun
Mitten hinein.

Und zu Ritter Delorges spottender Weis'
Wendet sich Fräulein Kunigund:
«Herr Ritter, ist Eure Lieb' so heiß,
Wie Ihr mir's schwört zu jeder Stund',
Ei, so hebt mir den Handschuh auf.»

Und der Ritter in schnellem Lauf
Steigt hinab in den furchtbarn Zwinger
Mit festem Schritte,
Und aus der Ungeheuer Mitte
Nimmt er den Handschuh mit keckem
                Finger.

Und mit Erstaunen und mit Grauen
Sehen's die Ritter und Edelfrauen,
Und gelassen bringt er den Handschuh
                zurück.
Da schallt ihm sein Lob aus jedem Munde,
Aber mit zärtlichem Liebesblick –
Er verheißt ihm sein nahes Glück –
Empfängt ihn Fräulein Kunigunde.
Und er wirft ihr den Handschuh
                ins Gesicht:
«Den Dank, Dame, begehr' ich nicht!»
Und verläßt sie zur selben Stunde.

Die Bürgschaft

Zu Dionys[22], dem Tyrannen, schlich
Damon, den Dolch im Gewande;
Ihn schlugen die Häscher in Bande.
«Was wolltest du mit dem Dolche, sprich!»
Entgegnet ihm finster der Wüterich.
«Die Stadt vom Tyrannen befreien!»
«Das sollst du am Kreuze bereuen.»

«Ich bin», spricht jener, «zu sterben bereit
Und bitte nicht um mein Leben;
Doch willst du Gnade mir geben,
Ich flehe dich um drei Tage Zeit,
Bis ich die Schwester dem Gatten gefreit[23]
Ich lasse den Freund dir als Bürgen –
Ihn magst du, entrinn’ ich, erwürgen.»

Da lächelt der König mit arger List
Und spricht nach kurzem Bedenken:
«Drei Tage will ich dir schenken.
Doch wisse: wenn sie verstrichen, die Frist,
Eh’ du zurück mir gegeben bist,
So muß er statt deiner erblassen,
Doch dir ist die Strafe erlassen.»

Und er kommt zum Freunde: «Der König
                                        gebeut,
Daß ich am Kreuz mit dem Leben
Bezahle das frevelnde Streben;
Doch will er mir gönnen drei Tage Zeit,
Bis ich die Schwester dem Gatten gefreit.
So bleib du dem König zum Pfande,
Bis ich komme, zu lösen die Bande.»

Und schweigend umarmt ihn
                            der treue Freund
Und liefert sich aus dem Tyrannen,
Der andere ziehet von dannen.
Und ehe das dritte Morgenrot scheint,
Hat er schnell mit dem Gatten
                            die Schwester vereint,
Eilt heim mit sorgender Seele,
Damit er die Frist nicht verfehle.

Da gießt unendlicher Regen herab,
Von den Bergen stürzen die Quellen,
Und die Bäche, die Ströme schwellen.
Und er kommt ans Ufer mit wanderndem
                                        Stab –
Da reißet die Brücke der Strudel hinab,
Und donnernd sprengen die Wogen
Des Gewölbes krachenden Bogen.

Und trostlos irrt er an Ufers Rand:
Wie weit er auch spähet und blicket
Und die Stimme, die rufende, schicket –
Da stößet kein Nachen vom sichern Strand,
Der ihn setze an das gewünschte Land,
Kein Schiffer lenket die Fähre,
Und der wilde Strom wird zum Meere.

Da sinkt er ans Ufer und weint und fleht,
Die Hände zum Zeus erhoben:
«O hemme des Stromes Toben!
Es eilen die Stunden, im Mittag steht
Die Sonne, und wenn sie niedergeht
Und ich kann die Stadt nicht erreichen,
So muß der Freund mir erbleichen.»

Doch wachsend erneut sich des Stromes Wut
Und Welle auf Welle zerrinnet,
Und Stunde an Stunde entrinnet.
Da treibt ihn die Angst, da faßt er sich Mut
Und wirft sich hinein in die brausende Flut
Und teilt mit gewaltigen Armen
Den Strom, und ein Gott hat Erbarmen.

Und gewinnt das Ufer und eilet fort
Und danket dem rettenden Gotte;
Da stürzet die raubende Rotte

Hervor aus des Waldes nächtlichem Ort,
Den Pfad ihm sperrend, und schnaubet
Mord
Und hemmet des Wanderers Eile
Mit drohend geschwungener Keule.

«Was wollt ihr?» ruft er für Schrecken bleich,
«Ich habe nichts als mein Leben,
Das muß ich dem Könige geben!»
Und entreißt die Keule dem nächsten
gleich:
«Um des Freundes willen erbarmet euch!»
Und drei, mit gewaltigen Streichen,
Erlegt er, die andern entweichen.

Und die Sonne versendet glühenden Brand,
Und von der unendlichen Mühe
Ermattet sinken die Kniee:
«O hast du mich gnädig aus Räubershand,
Aus dem Strom mich gerettet ans heilige
Land,
Und soll hier verschmachtend verderben,
Und der Freund mir, der liebende, sterben!»

Und horch! da sprudelt es silberhell
Ganz nahe, wie rieselndes Rauschen,
Und stille hält er, zu lauschen;

Und sieh, aus dem Felsen, geschwätzig, schnell
Springt murmelnd hervor ein lebendiger Quell,
Und freudig bückt er sich nieder
Und erfrischet die brennenden Glieder.

Und die Sonne blickt durch die Zweige Grün
Und malt auf den glänzenden Matten
Der Bäume gigantische Schatten;
Und zwei Wanderer sieht er die Straße ziehn,
Will eilenden Laufes vorüber fliehn,
Da hört er die Worte sie sagen:
«Jetzt wird er ans Kreuz geschlagen.»

Und die Angst beflügelt den eilenden Fuß,
Ihn jagen der Sorge Qualen;
Da schimmern in Abendrots Strahlen
Von ferne die Zinnen von Syrakus,
Und entgegen kommt ihm Philostratus,
Des Hauses redlicher Hüter,
Der erkennet entsetzt den Gebieter

«Zurück! du rettest den Freund nicht mehr,
So rette das eigene Leben!
Den Tod erleidet er eben.
Von Stunde zu Stunde gewartet' er
Mit hoffender Seele der Wiederkehr,
Ihm konnte den mutigen Glauben
Der Hohn des Tyrannen nicht rauben.»

«Und ist es zu spät und kann ich ihm nicht
Ein Retter willkommen erscheinen,
So soll mich der Tod ihm vereinen.
Des rühme der blut'ge Tyrann sich nicht,
Daß der Freund dem Freunde gebrochen
                              die Pflicht –
Er schlachte der Opfer zweie
Und glaube an Liebe und Treue.»

Und die Sonne geht unter, da steht er
                              am Tor
Und sieht das Kreuz schon erhöhet,
Das die Menge gaffend umstehet;
An dem Seile schon zieht man den Freund
                              empor,
Da zertrennt er gewaltig den dichten
                              Chor:
«Mich, Henker!» ruft er, «erwürget!
Da bin ich, für den er gebürget!»

Und Erstaunen ergreifet das Volk umher,
In den Armen liegen sich beide
Und weinen für Schmerzen und Freude.
Da sieht man kein Auge tränenleer,
Und zum Könige bringt man
                              die Wundermär;
Der fühlt ein menschliches Rühren,
Läßt schnell vor den Thron sie führen.

Und blicket sie lange verwundert an;
Drauf spricht er: «Es ist euch gelungen,
Ihr habt das Herz mir bezwungen,
Und die Treue, sie ist doch
                    kein leerer Wahn –
So nehmet auch mich zum Genossen an.
Ich sei, gewährt mir die Bitte,
In eurem Bunde der Dritte.»

Johann Martin Usteri
1763–1827

Der Storch von Luzern

Was rennt durch die Straße die ängstliche Schar?
Was deutet das dumpfe Getöse?
Horch! furchtbar verkünden vom Turm die Gefahr
Des Feuerhorns gräßliche Stöße,
Und näher und ferner, Gass' aus und Gass' ein,
Hört lauter und lauter man «Feuer!» jetzt schrein.

Und fürchterlich über die Giebel erhebt
Sich wirbelnd die rotbraune Säule;
Und, Hülfe zu bringen, die Menge nun strebt,
Verachtend in mutiger Eile
Die stürzenden Balken, die sengende Glut,
Und rettet die Menschen, und rettet ihr Gut.

Ach, aber wer ist dort die weiße Gestalt,
In rauchende Wolken versunken?
Wo wilder es wirbelt und qualmet und wallt,
Durchzuckt von hell leuchtenden Funken?
Die Störchin, die arme, umkreiset ihr Nest –
Die hülflosen Jungen, die halten sie fest.

Und Mitleid ergreift alle Menschen, man sucht
Durch Werfen von Steinen und Stecken,
Durch lautes Gelärme den Vogel zur Flucht

Vom rauchenden Giebel zu schrecken.
O eitles Beginnen! Wo sparet der Mut
Der Mutter, beim sterbenden Kinde, das Blut?

Und schwärzer und dichter bricht's oben hervor,
Hoch schlagen die leuchtenden Flammen;
Schon züngeln sie prasselnd am Reisig empor,
Bald stürzt jetzt der Giebel zusammen;
Und Hoffen und Hülfe die Störchin verläßt,
Sie sinkt, ihre Flügel verbreitend, aufs Nest.

Und – «Jesus Maria!» schallt's ängstlich, und kalt
Durchschauert's die Menge, denn oben
Erblickt sie im Rauch eines Jünglings Gestalt,
Den sprühende Funken umstoben;
Es hat sein hochschlagendes Herz ihn gemahnt
Und kühn durch die Flammen den Weg
                              ihm gebahnt.

Und Tausende beten: «Belohne den Mut!»
Und jauchzen: «Das Ziel ist errungen!»
Hoch hält er empor die gerettete Brut,
Und es folget die Mutter den Jungen –
Und jubelnd von brennender Leiter er springt,
Und jubelnd die Menge den Helden umringt.

Und wo er jetzt wandelt in Stadt und in Land,
Ihm lohnende Blicke begegnen;
Es schütteln ihm Männer die kräftige Hand,

Die Herzen der Frauen ihn segnen.
Ha, böt' ihm ein König für *das* einen Thron,
Er lachte wohl über den ärmlichen Lohn!

Es haben die Bücher die männliche Tat
Mit Freuden der Nachwelt verkündet;
Doch – ungern erzähl' ich es – niemand noch hat
Den Namen des Täters ergründet;
Doch fehlt uns darüber auch jeder Bericht,
Im Buch der Vergeltung, da fehlet er nicht!

Luise Brachmann
1777–1822

Columbus

«Was willst du, Fernando, so trüb und bleich?
Du bringst mir traurige Mär!»
«Ach, edler Feldherr, bereitet Euch!
Nicht länger bezähm' ich das Heer!
Wenn jetzt nicht die Küste sich zeigen will,
So seid Ihr ein Opfer der Wut!
Sie fordern laut wie Sturmgebrüll
Des Feldherrn heiliges Blut.»

Und eh' noch dem Ritter das Wort entflohn,
Da drängte die Menge sich nach,
Da stürmten die Krieger, die wütenden, schon
Gleich Wogen ins stille Gemach,
Verzweiflung im wilden, verlöschenden Blick,
Auf bleichen Gesichtern der Tod.
«Verräter! wo ist nun dein gleißendes Glück?
Jetzt rett' uns vom Gipfel der Not!

Du gibst uns nicht Speise, so gib uns dein Blut!»
«Blut!» rief das entzügelte Heer.
Sanft stellte der Große den Felsenmut
Entgegen dem stürmenden Meer:

«Befriedigt mein Blut euch, so nehmt es
Doch bis noch ein einziges Mal   [und lebt!
Die Sonne dem feurigen Osten entschwebt,
Vergönnt mir den segnenden Strahl!

Beleuchtet der Morgen kein rettend Gestad',
So biet' ich dem Tode mich gern;
Bis dahin verfolgt noch den mutigen Pfad
Und trauet der Hülfe des Herrn!»
Die Würde des Helden, sein ruhiger Blick
Besiegte noch einmal die Wut,
Sie wichen vom Haupte des Führers zurück
Und schonten sein heiliges Blut.

«Wohlan denn, es sei noch! Doch hebt sich
                              der Strahl
Und zeigt uns kein rettendes Land,
So siehst du die Sonne zum letzten Mal!
So zittre der strafenden Hand!»
Geschlossen ward also der eiserne Bund;
Die Schrecklichen kehrten zurück.
Es tue der leuchtende Morgen nun kund
Des duldenden Helden Geschick!

Die Sonne sank, der Tag entwich,
Des Helden Brust ward schwer.
Der Kiel durchrauschte schauerlich
Das weite, wüste Meer,

Die Sterne zogen still herauf,
Doch ach, kein Hoffnungsstern!
Und von des Schiffes ödem Lauf
Blieb Land und Rettung fern.

Vom Trost des süßen Schlafs verbannt,
Die Brust voll Gram, durchwacht,
Nach Westen blickend unverwandt,
Der Held die düstre Nacht.
«Nach Westen, o nach Westen hin
Beflügle dich, mein Kiel!
Dich grüßt noch sterbend Herz und Sinn,
Du meiner Sehnsucht Ziel!

Doch mild, o Gott, von Himmelshöhn
Blick auf mein Volk herab!
Laß nicht sie trostlos untergehn
Im wüsten Flutengrab!»
Es sprach's der Held, von Mitleid weich;
Da, horch: welch eil'ger Tritt?
«Noch einmal, Fernando, so trüb und bleich?
Was bringt dein bebender Schritt?»

«Ach, edler Feldherr, es ist geschehn!
Jetzt hebt sich der östliche Strahl!»
«Sei ruhig, mein Lieber! von himmlischen
                                          Höhn
Entwand sich der leuchtende Strahl.

Es waltet die Allmacht von Pol zu Pol;
Mir lenkt sie zum Tode die Bahn.»
«Leb wohl denn, mein Feldherr! leb ewig wohl!
Ich höre die Schrecklichen nahn!»

Und eh' noch dem Ritter das Wort entflohn,
Da drängte die Menge sich nach;
Da stürmten die Krieger, die wütenden, schon
Gleich Wogen ins stille Gemach.
«Ich weiß, was ihr fordert, und bin bereit;
Ja, werft mich ins schäumende Meer!
Doch wisset, das rettende Ziel ist nicht weit;
Gott schütze dich, irrendes Heer!»

Dumpf klirrten die Schwerter, ein wüstes
                              Geschrei
Erfüllte mit Grausen die Luft;
Der Edle bereitet' still sich und frei
Zum Weg in die flutende Gruft.
Zerrissen war jedes geheiligte Band;
Schon sah sich zum schwindelnden Rand
Der treffliche Führer gerissen – und «Land!
Land!» rief es und donnert' es: «Land!»

Ein glänzender Streifen, mit Purpur gemalt,
Erschien dem beflügelten Blick;
Vom Golde der steigenden Sonne bestrahlt,
Erhob sich das winkende Glück,

Was kaum noch geahnet der zagende Sinn,
Was mutvoll der Große gedacht.
Sie stürzten zu Füßen des Herrlichen hin
Und priesen die göttliche Macht.

Clemens Brentano
1778–1842

Lore Lay[24]

Zu Bacharach am Rheine
Wohnt eine Zauberin,
Sie war so schön und feine
Und riß viel Herzen hin.

Und brachte viel zuschanden
Der Männer rings umher,
Aus ihren Liebesbanden
War keine Rettung mehr.

Der Bischof ließ sie laden
Vor geistliche Gewalt –
Und mußte sie begnaden,
So schön war ihr' Gestalt.

Er sprach zu ihr gerühret:
«Du arme Lore Lay!
Wer hat dich denn verführet
Zu böser Zauberei?»

«Herr Bischof, laßt mich sterben,
Ich bin des Lebens müd,
Weil jeder muß verderben,
Der meine Augen sieht.

Die Augen sind zwei Flammen,
Mein Arm ein Zauberstab –
O legt mich in die Flammen!
O brechet mir den Stab!»

«Ich kann dich nicht verdammen,
Bis du mir erst bekennt,
Warum in diesen Flammen
Mein eigen Herz schon brennt.

Den Stab kann ich nicht brechen,
Du schöne Lore Lay!
Ich müßte dann zerbrechen
Mein eigen Herz entzwei.»

«Herr Bischof, mit mir Armen
Treibt nicht so bösen Spott,
Und bittet um Erbarmen,
Für mich den lieben Gott.

Ich darf nicht länger leben,
Ich liebe keinen mehr –
Den Tod sollt Ihr mir geben,
Drum kam ich zu Euch her.

Mein Schatz hat mich betrogen,
Hat sich von mir gewandt,
Ist fort von hier gezogen,
Fort in ein fremdes Land.

Die Augen sanft und wilde,
Die Wangen rot und weiß,
Die Worte still und milde,
Das ist mein Zauberkreis.

Ich selbst muß drin verderben,
Das Herz tut mir so weh,
Vor Schmerzen möcht' ich sterben,
Wenn ich mein Bildnis seh'.

Drum laßt mein Recht mich finden,
Mich sterben, wie ein Christ,
Denn alles muß verschwinden,
Weil er nicht bei mir ist.»

Drei Ritter läßt er holen:
«Bringt sie ins Kloster hin,
Geh, Lore! – Gott befohlen
Sei dein bedrückter Sinn.

Du sollst ein Nönnchen werden,
Ein Nönnchen schwarz und weiß,
Bereite dich auf Erden
Zu deines Todes Reis'.»

Zum Kloster sie nun ritten,
Die Ritter alle drei,
Und traurig in der Mitten
Die schöne Lore Lay.

«O Ritter, laßt mich gehen
Auf diesen Felsen groß,
Ich will noch einmal sehen
Nach meines Lieben Schloß.

Ich will noch einmal sehen
Wohl in den tiefen Rhein,
Und dann ins Kloster gehen
Und Gottes Jungfrau sein.»

Der Felsen ist so jähe,
So steil ist seine Wand,
Doch klimmt sie in die Höhe,
Bis daß sie oben stand.

Es binden die drei Ritter
Die Rosse unten an
Und klettern immer weiter,
Zum Felsen auch hinan.

Die Jungfrau sprach: «Da gehet
Ein Schifflein auf dem Rhein,
Der in dem Schifflein stehet,
Der soll mein Liebster sein.

Mein Herz wird mir so munter,
Er muß mein Liebster sein!»
Da lehnt sie sich hinunter
Und stürzet in den Rhein.

Die Ritter mußten sterben,
Sie konnten nicht hinab,
Sie mußten all verderben,
Ohn' Priester und ohn' Grab.

Wer hat dies Lied gesungen?
Ein Schiffer auf dem Rhein,
Und immer hat's geklungen
Von dem Drei-Ritter-Stein[25]:

> Lore Lay
> Lore Lay
> Lore Lay

Als wären es meiner drei.

Adelbert von Chamisso
1781–1838

Hans Jürgen und sein Kind

«Hans Jürgen, läßt du das Trinken nicht sein
Und läßt nicht vom leidigen Branntewein,
Du wirst zur Verzweiflung mich bringen;
Im Weiher dort ist's bald geschehn,
Da wirst du dein Kind mich ertränken sehn,
Mich selbst hinunterspringen.»

«Ach Frau, sei mir darum nicht gram,
Weiß selber kaum, wie gestern es kam,
Der ‹Goldene Löw'› ist schuldig;
Ich kam an der Schenke vorüber und sann;
Das Tier mich anzuglotzen begann;
Der Löw', er gleißte so guldig.

Ich ging hinein, das war nicht gut;
Ich trank, hinaus zu gehn, mir Mut,
Kam unter dem Tische zu liegen;
Wenn abermals es dem Teufel gelang,
Sei, liebes Herz, darum nicht bang!
Er soll nicht wieder mich kriegen.

Die Augen zu! Ein Wort, ein Mann!
Ich bringe dir heut, was ich alles gewann*,

Und eine trockene Kehle.»
So ging er zu seinem Meister hin;
Es lag ihm schwer in seinem Sinn,
Es quält' ihn in seiner Seele.

Und als es Feierabend war
Und heim er kam, da fühlt' er gar
Den leidigen Durst ihn beißen.
Die Augen zu! Er kam mit Glück
Der Klippe vorbei, da schaut' er zurück;
Er sah den Löwen so gleißen.

«Jedweder Tugend ihren Lohn!
Verdient, wahrhaftig, hab' ich ihn schon;
Ein Schluck darauf wird schmecken!»
Und taumelnd gelangt' er und spät nach Haus;
Die Frau saß da, sah finster aus;
Er mußte vor ihr erschrecken.

Sie prüft' ihn mit den Augen stumm;
Es ging ihm seltsam im Kopf herum,
Gedenkend der eigenen Schwüre.
Sie aber schritt zu der Wiege hin
Und nahm das Kind, das gelegen darin,
Und eilte hinaus zur Türe.

---

* Tagesverdienst

Er ist da nüchtern geworden fast;
Ein kaltes Entsetzen hat ihn erfaßt:
«Dahin, dahin gekommen!
Hans Jürgen, rette, rette dein Kind!
Zum Weiher, zum Weiher! geschwind,
                     geschwind!
Sie hat den Weg genommen.»

Er eilt ihr nach im vollen Lauf;
Ein Plätschern schallt vom Weiher herauf –
Nur noch die Mutter zu sehen:
«Zurück! das Kind, ich hol' es hervor;
Noch halten's die schwimmenden Tücher
                     empor;
Zurück! genug ist geschehen.»

Er schreit es und springt in das Wasser hinein
Das Wasser, das mochte so tief nicht sein,
Die Beute leicht zu erhalten.
Er trägt das Wickelkind im Arm
Und drückt's an die Brust so innig und warm
Und steigt aus dem Bade, dem kalten.

«An meinem Herzen, an meiner Brust,
Du meine Wonne, du meine Lust!
Doch mußt du mich nicht so kratzen.»
Ein gutes, schönes Kind, allein
Es kratzet doch ganz ungemein:
«Was hast denn du für Tatzen?»

Und wie er's näher untersucht,
Erkennt er den schwarzen Kater und flucht,
Den Kater, ihm zum Possen.
«Ach Frau, ach Frau, wo bist denn du?»
Die sitzt zu Hause, die Tür ist zu;
Die Türe bleibt verschlossen.

«Ach Frau, das ist ein frostiger Spaß!
Es ist so kalt, ich bin so naß.»
Die Türe bleibt verschlossen;
Und wie er pocht und flucht und lärmt
Und fleht und winselt und sich härmt,
Die Türe bleibt verschlossen.

Die Nachbarsleute, die Gäste zuhauf
Vom «Goldenen Löwen» paßten wohl auf,
Das kann leicht einer sich denken;
Die haben wacker ihn ausgelacht
Und haben ein Lied auf ihn gemacht
Und singen's in allen Schenken:

«Hans Jürgen, rette, rette dein Kind!
Zum Weiher, zum Weiher! geschwind,
                                geschwind!
Doch lasse dich ja nicht kratzen!
Und schmeckt, Hans Jürgen, der Brannte-
                                wein,
Komm her zu dem ‹Goldenen Löwen› herein;
Wir singen ein Lied dir zum Platzen.»

Der rechte Barbier

Und soll ich nach Philisterart
Mir Kinn und Wange putzen,
So will ich meinen langen Bart
Den letzten Tag noch nutzen.
Ja, ärgerlich, wie ich nun bin,
Vor meinem Groll, vor meinem Kinn
Soll mancher noch erzittern!

«Holla! Herr Wirt, mein Pferd! macht fort
Ihm wird der Hafer frommen.
Habt Ihr Barbierer hier im Ort?
Laßt gleich den rechten kommen.
Waldaus, waldein, verfluchtes Land!
Ich ritt die Kreuz und Quer und fand
Doch nirgends noch den rechten.

Tritt her, Bartputzer, aufgeschaut!
Du sollst den Bart mir kratzen;
Doch kitzlig sehr ist meine Haut,
Ich biete hundert Batzen;
Nur, machst du nicht die Sache gut,
Und fließt ein einz'ges Tröpflein Blut –
Fährt dir mein Dolch ins Herze.»

Das spitze, kalte Eisen sah
Man auf dem Tische blitzen
Und dem verwünschten Ding gar nah
Auf seinem Schemel sitzen
Den grimm'gen, schwarzbehaarten Mann
Im schwarzen, kurzen Wams, woran
Noch schwärzre Troddeln hingen.

Dem Meister wird's zu grausig fast;
Er will die Messer wetzen;
Er sieht den Dolch; er sieht den Gast;
Es packt ihn das Entsetzen;
Er zittert wie das Espenlaub,
Er macht sich plötzlich aus dem Staub
Und sendet den Gesellen.

«Einhundert Batzen mein Gebot,
Falls du die Kunst besitzest;
Doch, merk es dir, dich stech' ich tot,
So du die Haut mir ritzest.»
Und der Gesell: «Den Teufel auch!
Das ist des Landes nicht der Brauch.»
Er läuft und schickt den Jungen.

«Bist du der Rechte, kleiner Molch?
Frisch auf! fang an zu schaben;
Hier ist das Geld, hier ist der Dolch,
Das beides ist zu haben!

Und schneidest, ritzest du mich bloß,
So geb' ich dir den Gnadenstoß;
Du wärest nicht der erste.»

Der Junge denkt der Batzen, druckst
Nicht lang und ruft verwegen:
«Nur still gesessen! nicht gemuckst!
Gott geb' Euch seinen Segen!»
Er seift ihn ein ganz unverdutzt,
Er wetzt, er stutzt, er kratzt, er putzt:
«Gottlob, nun seid Ihr fertig.»

«Nimm, kleiner Knirps, dein Geld nur hin
Du bist ein wahrer Teufel!
Kein andrer mochte den Gewinn,
Du hegtest keinen Zweifel;
Es kam das Zittern dich nicht an,
Und wenn ein Tröpflein Blutes rann,
So stach ich dich doch nieder.»

«Ei! guter Herr, so stand es nicht,
Ich hielt Euch an der Kehle;
Verzucktet Ihr nur das Gesicht
Und ging der Schnitt mir fehle,
So ließ ich Euch dazu nicht Zeit;
Entschlossen war ich und bereit,
Die Kehl' Euch abzuschneiden.»

«So, so! ein ganz verwünschter Spaß!»
Dem Herrn ward's unbehäglich;
Er wurd' auf einmal leichenblaß
Und zitterte nachträglich:
«So, so! das hatt' ich nicht bedacht,
Doch hat es Gott noch gut gemacht;
Ich will's mir aber merken.»

Ein Lied von der Weibertreue

Sie haben zwei Tote zur Ruhe gebracht;
Der Hauptmann fiel in rühmlicher Schlacht,
Mit Ehren ward er beigesetzt;
Und der, den jüngst er wacker gehetzt,
    Der Räuber hängt am Galgen.

Da hält die Wacht als Schildergast
Ein junger Landsknecht, verdrießlich fast;
Die Nacht ist kalt, er flucht und friert,
Und wird ihm geraubt, der den Galgen ziert,
    So muß für ihn er hangen.

Im Grabgewölb' bei des Hauptmanns Leib
Verweilt verzweiflungsvoll sein Weib;
Sie hat geschworen in bittrer Not,
Für ihn zu sterben den Hungertod,
    Die Amme zur Gesellschaft.

Die Amme spricht: «Gebieterin!
Ich habe geschworen nach Eurem Sinn;
Beklagt und lobt den sel'gen Herrn!
Da stimm' ich mit ein von Herzen gern;
    Doch plagt mich sehr der Hunger.

Er war, so alt er war, gar gut,
Nicht eifersüchtig, von sanftem Mut.
Ach, edle Frau, Ihr findet zwar
Den zweiten nicht, wie der erste war;
   Doch plagt mich sehr der Hunger.

Euch war's, es ist mir wohl bewußt,
Ein harter Schlag, ein großer Verlust;
Doch seid Ihr noch schön, doch seid Ihr noch jung
Und könntet noch haben der Freude genung;
   Es plagt mich sehr der Hunger.»

Die Amme so; und stumm beharrt
Die edle Frau, im Schmerz erstarrt;
Erloschen scheint der Augen Licht;
Sie klaget nicht, sie weinet nicht;
   Es plagt sie sehr der Hunger.

Und draußen bläst der Wind gar scharf;
Der Landsknecht läuft, so weit er darf,
Indem er sich zu erwärmen sucht;
Und wie er läuft und wie er flucht,
   So sieht ein Licht er schimmern.

Von wannen mag der Schimmer sein?
Er schleicht hinzu, er tritt hinein:
«Gegrüßet mir, ihr edle Fraun;
Wie muß ich hier im Grabe schaun
   So hoher Schönheit Schimmer!»

So staunend er; und stumm beharrt
Die edle Frau, im Schmerz erstarrt;
Erloschen scheint der Augen Licht;
Sie klaget nicht, sie weinet nicht;
    Es plagt sie sehr der Hunger.

Die Amme drauf: «Das seht Ihr ja,
Wir trauern um den Toten da;
Wir haben geschworen in bittrer Not,
Für ihn zu sterben den Hungertod;
    Es plagt mich sehr der Hunger.»

Drauf er: «Das ist nicht wohlgetan
Und hilft zu nichts dem toten Mann.
So schön! so jung! Ihr seid nicht klug,
Es hat die Welt der Freude genug;
    Entsetzlich nagt der Hunger!

Ich sage nur, ihr Frauen sollt
Mich essen sehn, dann tun, was ihr wollt.
Hier hab' ich Brot, hier hab' ich Wurst,
Hier eine Flasche für den Durst;
    Es plagt auch mich der Hunger.»

Und wie er tut, was er gesagt,
Und ihm so wohl das Essen behagt,
Da sinkt der Alten ganz der Mut:
«Ach, edle Frau, das schmeckt so gut!
    Und ach, mich plagt der Hunger!»

Drauf er: «So eßt, ich habe für zwei
Genug, und habe genug für drei;
Ich esse sonst allein für vier;
So eßt und trinkt getrost mit mir!
    Das hilft schon für den Hunger.»

Die Amme versucht auf gutes Glück
Ein Stückchen erst und dann ein Stück:
Sie sieht der Herrin ins Angesicht;
Sie klaget nicht, sie weinet nicht;
    Es plagt sie sehr der Hunger.

«Ach, edle Frau, das schmeckt so gut!
Ihr wißt schon, wie der Hunger tut;
Was hat davon Euer Herr Gemahl?
Es sei genug für dieses Mal!
    Entsetzlich nagt der Hunger.»

Er tritt zu ihr: «Versucht es nur!»
Sie aber spricht: «Mein Schwur! mein Schwur!»
Und stößt ihn dennoch nicht zurück;
Sie nimmt ein Stückchen und dann ein Stück;
    Das hilft denn für den Hunger.

Er fällt vor ihr auf seine Knie:
«Ich sah ein schöneres Weib noch nie,
Nur sollt Ihr hinfort mir klüger sein!
Nun muß ich gehen. Gedenket mein!
    Ich komme morgen wieder.

Nichts da von Lebensüberdruß!»
Er spricht's und raubt ihr einen Kuß
Und stürzt hinaus, er ist schon fort;
Die Alte ruft: «So halt auch Wort,
      Du lieber, lieber Landsknecht!»

Und ferner spricht sie zu der Frau:
«Bedenk' ich, Herrin, die Sache genau,
Er hat es gar nicht schlecht gemacht
Und uns auf guten Weg gebracht,
      Der liebe, liebe Landsknecht!»

Sie sagt nicht nein, sie sagt nicht ja;
Sie steht betroffen, errötend da,
Gibt ihren Tränen freien Lauf
Und seufzet leis eratmend auf:
      «Du lieber, lieber Landsknecht!»

Der Landsknecht aber verwundert sich sehr;
Er steht vor dem Galgen, und der steht leer.
«Blitz Hagel! das war mein Henkersschmaus!
Den Platz da füll' ich morgen noch aus,
      Ich armer, armer Landsknecht!»

Er läuft zurück: «Nun schafft auch Rat!
Sonst muß ich hangen, ich kam zu spat.»
Sie fragen ihn aus; wie er alles gesagt,
Da weint die edle Frau und klagt:
      «Du armer, armer Landsknecht!»

Die Alte spricht: «Geduld! Geduld!
Ich wasch' ihn rein von aller Schuld;
Er hat uns errettet, das wißt Ihr doch?
Versteht mich, Frau! Was zaudern wir noch?
    Du lieber, lieber Landsknecht!

Man hat ihm seinen Toten geraubt;
Wir haben auch einen; wenn Ihr es erlaubt,
Gebt ihm den unsern, gebt Euren Schatz!
Der füllt, wie einer, seinen Platz.
    Du lieber, lieber Landsknecht!

Und wer betrachtet's scharf genug,
Daß er entdecke den Betrug?
Frisch angefaßt und schnell ans Werk,
Daß keiner dort den Mangel merk'!
    Du lieber, lieber Landsknecht!»

Wie er die Hand an den Toten legt,
Da ruft der Landsknecht tief bewegt:
«Mein Hauptmann! was? Du bist es fürwahr!
Nun bring' ich dich an den Galgen gar!
    Du lieber, guter Hauptmann!»

Die Frau versetzt: «Was zauderst du?
Geschwind! sonst kommen noch Leute dazu;
Geschwind! ich helfe, was ich kann;
Geschwind! geschwind! du lieber Mann!
    Du lieber, lieber Landsknecht!»

Und er darauf: «Es geht nicht an;
Dem Räuber fehlt ein Vorderzahn.»
Da nimmt sie selber einen Stein
Und schlägt den Zahn dem Toten ein:
    Du lieber, lieber Landsknecht!

So schleifen hinaus ihn alle drei
Und hängen ihn an den Galgen frei;
Und streift nun der Wind die Heide entlang,
So geben die Knochen gar guten Klang
    Zum Lied von der Weibertreue.

Das Riesenspielzeug[26]

Burg Niedeck ist im Elsaß der Sage wohlbekannt,
Die Höhe, wo vorzeiten die Burg der Riesen stand;
Sie selbst ist nun verfallen, die Stätte wüst und leer;
Du fragest nach den Riesen, du findest sie
        nicht mehr.

Einst kam das Riesenfräulein aus jener Burg hervor,
Erging sich sonder Wartung und spielend
        vor dem Tor,
Und stieg hinab den Abhang bis in das Tal hinein,
Neugierig zu erkunden, wie's unten möchte sein.

Mit wen'gen raschen Schritten durchkreuzte sie
        den Wald,
Erreichte gegen Haslach das Land der Menschen
        bald,
Und Städte dort und Dörfer und das bestellte Feld
Erschienen ihren Augen gar eine fremde Welt.

Wie jetzt zu ihren Füßen sie spähend niederschaut,
Bemerkt sie einen Bauer, der seinen Acker baut;
Es kriecht das kleine Wesen einher so sonderbar,
Es glitzert in der Sonne der Pflug so blank und klar.

«Ei! artig Spielding!» ruft sie, «das nehm' ich mit
                                         nach Haus.»
Sie knieet nieder, spreitet behend ihr Tüchlein aus
Und fegt mit den Händen, was da sich alles regt,
Zu Haufen in das Tüchlein, das sie zusammen-
                                              schlägt,

Und eilt mit freud'gen Sprüngen – man weiß,
                                wie Kinder sind
Zur Burg hinan und suchet den Vater auf geschwin
«Ei Vater, lieber Vater, ein Spielding wunderschön
So allerliebstes sah ich noch nie auf unsern Höhn.»

Der Alte saß am Tische und trank den kühlen Wei
Er schaut sie an behaglich, er fragt das Töchterlein
«Was Zappeliges bringst du in deinem Tuch herbei
Du hüpfest ja vor Freuden; laß sehen, was es sei!»

Sie spreitet aus das Tüchlein und fängt behutsam a
Den Bauer aufzustellen, den Pflug und das Gespan
Wie alles auf dem Tische sie zierlich aufgebaut,
So klatscht sie in die Hände und springt und jubel
                                              laut.

Der Alte wird gar ernsthaft und wiegt sein Haupt
                                        und spricht:
«Was hast du angerichtet? Das ist kein Spielzeug
                                              nicht!

Wo du es hergenommen, da trag es wieder hin!
Der Bauer ist kein Spielzeug, was kommt dir
                                    in den Sinn!

Sollst gleich und ohne Murren erfüllen mein Gebot;
Denn wäre nicht der Bauer, so hättest du kein Brot;
Es sprießt der Stamm der Riesen aus Bauernmark
                                    hervor;
Der Bauer ist kein Spielzeug, da sei uns Gott davor!»

Burg Niedeck ist im Elsaß der Sage wohlbekannt,
Die Höhe, wo vorzeiten die Burg der Riesen stand;
Sie selbst ist nun verfallen, die Stätte wüst und leer;
Und fragst du nach den Riesen, du findest sie
                                    nicht mehr.

Justinus Kerner
1786–1862

Zwei Särge einsam stehen

Zwei Särge einsam stehen
In des alten Domes Hut,
König Ottmar liegt in dem einen,
In dem andern der Sänger ruht.

Der König saß einst mächtig
Hoch auf der Väter Thron,
Ihm liegt das Schwert in der Rechten
Und auf dem Haupte die Kron'.

Doch neben dem stolzen König,
Da liegt der Sänger traut,
Man noch in seinen Händen
Die fromme Harfe schaut.

Die Burgen rings zerfallen,
Schlachtruf tönt durch das Land,
Das Schwert, das regt sich nimmer
Da in des Königs Hand.

Blüten und milde Lüfte
Wehen das Tal entlang –
Des Sängers Harfe tönet
In ewigem Gesang.

Ludwig Uhland
1787–1862

Der blinde König

Was steht der nord'schen Fechter Schar
Hoch auf des Meeres Bord?
Was will in seinem grauen Haar
Der blinde König dort?
Er ruft, in bittrem Harme
Auf seinen Stab gelehnt,
Daß überm Meeresarme
Das Eiland widertönt:

«Gib, Räuber, aus dem Felsverlies
Die Tochter mir zurück!
Ihr Harfenspiel, ihr Lied so süß,
War meines Alters Glück.
Vom Tanz auf grünem Strande
Hast du sie weggeraubt;
Dir ist es ewig Schande,
Mir beugt's das graue Haupt.»

Da tritt aus seiner Kluft hervor
Der Räuber[27], groß und wild,
Er schwingt sein Hünenschwert empor
Und schlägt an seinen Schild:

«Du hast ja viele Wächter,
Warum denn litten's die?
Dir dient so mancher Fechter,
Und keiner kämpft um sie?»

Noch stehn die Fechter alle stumm,
Tritt keiner aus den Reihn,
Der blinde König kehrt sich um:
«Bin ich denn ganz allein?»
Da faßt des Vaters Rechte
Sein junger Sohn so warm:
«Vergönn mir's, daß ich fechte!
Wohl fühl' ich Kraft im Arm.»

«O Sohn! der Feind ist riesenstark,
Ihm hielt noch keiner stand;
Und doch! in dir ist edles Mark,
Ich fühl's am Druck der Hand.
Nimm hier die alte Klinge!
Sie ist der Skalden Preis.
Und fällst du, so verschlinge
Die Flut mich armen Greis!»

Und horch! es schäumet und es rauscht
Der Nachen übers Meer.
Der blinde König steht und lauscht,
Und alles schweigt umher;

Bis drüben sich erhoben
Der Schild' und Schwerter Schall,
Und Kampfgeschrei und Toben
Und dumpfer Widerhall.

Da ruft der Greis so freudig bang:
«Sagt an, was ihr erschaut!
Mein Schwert, ich kenn's am guten Klang,
Es gab so scharfen Laut.»
«Der Räuber ist gefallen,
Er hat den blut'gen Lohn.
Heil dir, du Held vor allen,
Du starker Königssohn!»

Und wieder wird es still umher,
Der König steht und lauscht:
«Was hör' ich kommen übers Meer?
Es rudert und es rauscht.»
«Sie kommen angefahren,
Dein Sohn mit Schwert und Schild.
In sonnehellen Haaren
Dein Töchterlein Gunild.»

«Willkommen!» ruft vom hohen Stein
Der blinde Greis hinab,
«Nun wird mein Alter wonnig sein
Und ehrenvoll mein Grab.

Du legst mir, Sohn, zur Seite
Das Schwert von gutem Klang,
Gunilde, du Befreite,
Singst mir den Grabgesang.»

Der Wirtin Töchterlein

Es zogen drei Bursche wohl über den Rhein,
Bei einer Frau Wirtin, da kehrten sie ein.

«Frau Wirtin! hat Sie gut Bier und Wein?
Wo hat Sie Ihr schönes Töchterlein?»

«Mein Bier und Wein ist frisch und klar,
Mein Töchterlein liegt auf der Totenbahr'.»

Und als sie traten zur Kammer hinein,
Da lag sie in einem schwarzen Schrein.

Der erste, der schlug den Schleier zurück
Und schaute sie an mit traurigem Blick:

«Ach! lebtest du noch, du schöne Maid!
Ich würde dich lieben von dieser Zeit.»

Der zweite deckte den Schleier zu
Und kehrte sich ab und weinte dazu:

«Ach! daß du liegst auf der Totenbahr'!
Ich hab' dich geliebet so manches Jahr.»

Der dritte hub ihn wieder sogleich
Und küßte sie an den Mund so bleich:

«Dich liebt' ich immer, dich lieb' ich noch heut
Und werde dich lieben in Ewigkeit.»

Die Mähderin

«Guten Morgen, Marie! so frühe schon
              rüstig und rege?
Dich, treuste der Mägde, dich machet
              die Liebe nicht träge.
Ja! mähst du die Wiese mir ab von jetzt
              in drei Tagen,
Nicht dürft' ich den Sohn dir, den einzigen,
              länger versagen.»

Der Pächter, der stattlich begüterte,
              hat es gesprochen,
Marie, wie fühlt sie den liebenden Busen
              sich pochen!
Ein neues, ein kräftiges Leben durchdringt
              ihr die Glieder,
Wie schwingt sie die Sense, wie streckt sie
              die Mahden danieder!

Der Mittag glühet, die Mähder des Feldes
              ermatten,
Sie suchen zur Labe den Quell und zum
              Schlummer den Schatten;

Noch schaffen im heißen Gefilde die summenden
                        Bienen,
Marie, sie ruht nicht, sie schafft in die Wette
                        mit ihnen.

Die Sonne versinkt, es ertönet das Abend-
                        geläute;
Wohl rufen die Nachbarn: «Marie, genug ist's
                        für heute!»
Wohl ziehen die Mähder, der Hirt und die Herde
                        von hinnen,
Marie, sie dengelt die Sense zu neuem Beginnen.

Schon sinket der Tau, schon erglänzen der Mond
                        und die Sterne,
Es duften die Mahden, die Nachtigall schlägt
                        aus der Ferne;
Marie verlangt nicht zu rasten, verlangt nicht
                        zu lauschen,
Stets läßt sie die Sense, die kräftig geschwungene
                        rauschen.

So fürder von Abend zu Morgen, von Morgen
                        zu Abend,
Mit Liebe sich nährend, mit seliger Hoffnung
                        sich labend;

Zum dritten Mal hebt sich die Sonne,
da ist es geschehen,
Dort seht ihr Marien, die wonniglich
weinende, stehen.

«Guten Morgen, Marie! was seh' ich!
O fleißige Hände!
Gemäht ist die Wiese! Das lohn' ich
mit reichlicher Spende;
Allein mit der Heirat – du nahmest im Ernste
mein Scherzen,
Leichtgläubig, man sieht es, und töricht sind
liebende Herzen.»

Er spricht es und gehet des Wegs, doch der
armen Marie
Erstarret das Herz, ihr brechen die bebende Knie.
Die Sprache verloren, Gefühl und Besinnung
geschwunden,
So wird sie, die Mähderin, dort in den Mahden
gefunden.

So lebt sie noch Jahre, so stummer,
erstorbener Weise,
Und Honig, ein Tropfen, das ist ihr
die einzige Speise.

O haltet ein Grab ihr bereit auf der
              blühendsten Wiese!
So liebende Mähderin gab es doch nimmer,
              wie diese.

Des Sängers Fluch

Es stand in alten Zeiten ein Schloß,
                so hoch und hehr,
Weit glänzt' es über die Lande bis
                an das blaue Meer,
Und rings von duft'gen Gärten ein
                blütenreicher Kranz,
Drin sprangen frische Brunnen in
                Regenbogenglanz.

Dort saß ein stolzer König[28], an Land und
                Siegen reich,
Er saß auf seinem Throne so finster und
                so bleich;
Denn was er sinnt, ist Schrecken, und was er
                blickt, ist Wut,
Und was er spricht, ist Geißel, und was er
                schreibt, ist Blut.

Einst zog nach diesem Schlosse ein edles
                Sängerpaar,
Der ein' in goldnen Locken, der andre grau
                von Haar;

Der Alte mit der Harfe, der saß auf
                    schmuckem Roß,
Es schritt ihm frisch zur Seite der blühende
                    Genoss'.

Der Alte sprach zum Jungen: «Nun sei bereit,
                    mein Sohn!
Denk unsrer tiefsten Lieder, stimm an den
                    vollsten Ton!
Nimm alle Kraft zusammen, die Lust und auch
                    den Schmerz!
Es gilt uns heut, zu rühren des Königs steinern
                    Herz.»

Schon stehn die beiden Sänger im hohen
                    Säulensaal,
Und auf dem Throne sitzen der König und
                    sein Gemahl;
Der König furchtbar prächtig, wie blut'ger
                    Nordlichtschein,
Die Königin süß und milde, als blickte
                    Vollmond drein.

Da schlug der Greis die Saiten, er schlug sie
                    wundervoll,
Daß reicher, immer reicher, der Klang zum
                    Ohre schwoll,

Dann strömte himmlisch helle des Jünglings
                    Stimme vor,
Des Alten Sang dazwischen, wie dumpfer
                    Geisterchor.

Sie singen von Lenz und Liebe, von sel'ger
                    goldner Zeit,
Von Freiheit, Männerwürde, von Treu' und
                    Heiligkeit;
Sie singen von allem Süßen, was Menschenbrust
                    durchbebt,
Sie singen von allem Hohen, was Menschenherz
                    erhebt.

Die Höflingsschar im Kreise verlernet
                    jeden Spott,
Des Königs trotz'ge Krieger, sie beugen sich
                    vor Gott,
Die Königin, zerflossen in Wehmut und
                    in Lust,
Sie wirft den Sängern nieder die Rose von
                    ihrer Brust.

«Ihr habt mein Volk verführet, verlockt ihr nun
                    mein Weib?»
Der König schreit es wütend, er bebt am
                    ganzen Leib,

Er wirft sein Schwert, das blitzend des Jünglings
        Brust durchdringt,
Draus, statt der goldnen Lieder, ein Blutstrahl
        hochauf springt.

Und wie vom Sturm zerstoben ist all der
        Hörer Schwarm,
Der Jüngling hat verröchelt in seines Meisters
        Arm,
Der schlägt um ihn den Mantel und setzt ihn
        auf das Roß,
Er bind't ihn aufrecht feste, verläßt mit ihm
        das Schloß.

Doch vor dem hohen Tore, da hält der
        Sängergreis,
Da faßt er seine Harfe, sie aller Harfen
        Preis,
An einer Marmorsäule, da hat er sie
        zerschellt,
Dann ruft er, daß es schaurig durch Schloß
        und Gärten gellt:

«Weh euch, ihr stolzen Hallen! Nie töne
        süßer Klang
Durch eure Räume wider, nie Saite
        noch Gesang,

Nein! Seufzer nur und Stöhnen und scheuer
                    Sklavenschritt,
Bis euch zu Schutt und Moder der
                    Rachegeist zertritt!

Weh euch, ihr duft'gen Gärten im holden
                    Maienlicht!
Euch zeig' ich dieses Toten entstelltes
                    Angesicht,
Daß ihr darob verdorret, daß jeder Quell
                    versiegt,
Daß ihr in künft'gen Tagen versteint,
                    verödet liegt.

Weh dir, verruchter Mörder! du Fluch des
                    Sängertums!
Umsonst sei all dein Ringen nach Kränzen
                    blut'gen Ruhms,
Dein Name sei vergessen, in ew'ge Nacht
                    getaucht,
Sei, wie ein letztes Röcheln, in leere Luft
                    verhaucht!»

Der Alte hat's gerufen, der Himmel hat's
                    gehört,
Die Mauern liegen nieder, die Hallen
                    sind zerstört,

Noch eine hohe Säule zeugt von verschwundner
              Pracht,
Auch diese, schon geborsten, kann stürzen
              über Nacht.

Und rings, statt duft'ger Gärten, ein ödes
              Heideland,
Kein Baum verstreuet Schatten, kein Quell
              durchdringt den Sand,
Des Königs Namen meldet kein Lied,
              kein Heldenbuch;
Versunken und vergessen!
              das ist des Sängers Fluch.

Joseph von Eichendorff
1788–1857

Die Hochzeitsnacht

Nachts durch die stille Runde
Rauschte des Rheines Lauf,
Ein Schifflein zog im Grunde,
Ein Ritter stand darauf.

Die Blicke irre schweifen
Von seines Schiffes Rand,
Ein blutigroter Streifen
Sich um das Haupt ihm wand.

Der sprach: «Da oben stehet
Ein Schlößlein überm Rhein,
Die an dem Fenster stehet:
Das ist die Liebste mein.

Sie hat mir Treu' versprochen,
Bis ich gekommen sei,
Sie hat die Treu' gebrochen,
Und alles ist vorbei.»

Viel Hochzeitleute drehen
Sich oben laut und bunt,
Sie bleibet einsam stehen
Und lauschet in den Grund.

Und wie sie tanzen munter,
Und Schiff und Schiffer schwand,
Stieg sie vom Schloß herunter,
Bis sie im Garten stand.

Die Spielleut' musizierten,
Sie sann gar mancherlei,
Die Töne sie so rührten,
Als müßt' das Herz entzwei.

Da trat ihr Bräut'gam süße
Zu ihr aus stiller Nacht,
So freundlich er sie grüßte,
Daß ihr das Herze lacht.

Er sprach: «Was willst du weinen,
Weil alle fröhlich sein?
Die Stern' so helle scheinen,
So lustig geht der Rhein.

Das Kränzlein in den Haaren
Steht dir so wunderfein,
Wir wollen etwas fahren
Hinunter auf dem Rhein.»

Zum Kahn folgt' sie behende,
Setzt' sich ganz vorne hin,
Er setzt' sich an das Ende
Und ließ das Schifflein ziehn.

Sie sprach: «Die Töne kommen
Verworren durch den Wind,
Die Fenster sind verglommen,
Wir fahren so geschwind.

Was sind das für so lange
Gebirge weit und breit?
Mir wird auf einmal bange
In dieser Einsamkeit!

Und fremde Leute stehen
Auf mancher Felsenwand,
Und stehen still und sehen
So schwindlig übern Rand.»

Der Bräut'gam schien so traurig
Und sprach kein einzig Wort,
Schaut in die Wellen schaurig
Und rudert immerfort.

Sie sprach: «Schon seh' ich Streifen
So rot im Morgen stehn,
Und Stimmen hör' ich schweifen,
Vom Ufer Hähne krähn.

Du siehst so still und wilde,
So bleich wird dein Gesicht,
Mir graut vor deinem Bilde –
Du bist mein Bräut'gam nicht!»

Da stand er auf – das Sausen
Hielt an in Flut und Wald –
Es rührt mit Lust und Grausen
Das Herz ihr die Gestalt.

Und wie mit steinern'n Armen
Hob er sie auf voll Lust,
Drückt ihren schönen, warmen
Leib an die eis'ge Brust.

Licht wurden Wald und Höhen,
Der Morgen schien blutrot,
Das Schifflein sah man gehen,
Die schöne Braut drin tot.

Der stille Grund

Der Mondenschein verwirret
Die Täler weit und breit,
Die Bächlein, wie verirret,
Gehn durch die Einsamkeit.

Da drüben sah ich stehen
Den Wald auf steiler Höh',
Die finstern Tannen sehen
In einen tiefen See.

Ein' Kahn wohl sah ich ragen,
Doch niemand, der es lenkt,
Das Ruder war zerschlagen,
Das Schifflein halb versenkt.

Eine Nixe auf dem Steine
Flocht dort ihr goldnes Haar,
Sie meint', sie wär' alleine,
Und sang so wunderbar.

Sie sang und sang, in den Bäumen
Und Quellen rauscht' es sacht
Und flüsterte wie in Träumen
Die mondbeglänzte Nacht.

Ich aber stand erschrocken,
Denn über Wald und Kluft
Klangen die Morgenglocken
Schon ferne durch die Luft.

Und hätt' ich nicht vernommen
Den Klang zu guter Stund',
Wär' nimmermehr gekommen
Aus diesem stillen Grund.

Friedrich Rückert
1788–1866

Die Riesen und die Zwerge

Es ging die Riesentochter, zu haben einen
                                        Spaß,
Herab vom hohen Schlosse, wo Vater Riese
                                        saß.
Da fand sie in dem Tale die Ochsen
                                und den Pflug,
Dahinter auch den Bauern, der schien
                                ihr klein genug.
   Die Riesen und die Zwerge!

Pflug, Ochsen und den Bauern, es war ihr
                                    nicht zu groß,
Sie faßt's in ihre Schürze und trug's aufs
                                    Riesenschloß.
Da fragte Vater Riese: «Was hast du, Kind,
                                gemacht?»
Sie sprach: «Ein schönes Spielzeug hab' ich mir
                                hergebracht.»
   Die Riesen und die Zwerge!

Der Vater sah's und sagte: «Das ist nicht gut,
                          mein Kind!
Tu es zusammen wieder an seinen Ort
                          geschwind.
Wenn nicht das Volk der Zwerge schafft mit de
                          Pflug im Tal,
So darben auf dem Berge die Riesen bei
                          dem Mahl.»

    Die Riesen und die Zwerge!

Es ging ein Mann

Es ging ein Mann im Syrerland,
Führt' ein Kamel am Halfterband.
Das Tier mit grimmigen Gebärden
Urplötzlich anfing scheu zu werden
Und tat so ganz entsetzlich schnaufen,
Der Führer vor ihm mußt' entlaufen.
Er lief und einen Brunnen sah
Von ungefähr am Wege da.
Das Tier hört' er im Rücken schnauben,
Das mußt' ihm die Besinnung rauben.
Er in den Schacht des Brunnens kroch,
Er stürzte nicht, er schwebte noch.
Gewachsen war ein Brombeerstrauch
Aus des geborstnen Brunnens Bauch;
Daran der Mann sich fest tat klammern
Und seinen Zustand drauf bejammern.
Er blickte in die Höh' und sah
Dort das Kamelhaupt furchtbar nah,
Das ihn wollt' oben fassen wieder.
Dann blickt' er in den Brunnen nieder;
Da sah am Grund er einen Drachen
Aufgähnen mit entsperrtem Rachen,

Der drunten ihn verschlingen wollte,
Wenn er hinunterfallen sollte.
So schwebend in der beiden Mitte,
Da sah der Arme noch das Dritte.
Wo in die Mauerspalte ging
Des Sträuchleins Wurzel, dran er hing,
Da sah er still ein Mäusepaar,
Schwarz eine, weiß die andre war.
Er sah die schwarze mit der weißen
Abwechselnd an der Wurzel beißen.
Sie nagten, zausten, gruben, wühlten,
Die Erd' ab von der Wurzel spülten;
Und wie sie rieselnd niederrann,
Der Drach' im Grund aufblickte dann,
Zu sehn, wie bald mit seiner Bürde
Der Strauch entwurzelt fallen würde.
Der Mann in Angst und Furcht und Not,
Umstellt, umlagert und umdroht,
Im Stand des jammerhaften Schwebens,
Sah sich nach Rettung um vergebens.
Und da er also um sich blickte,
Sah er ein Zweiglein, welches nickte
Vom Brombeerstrauch mit reifen Beeren;
Da konnt' er doch der Lust nicht wehren.
Er sah nicht des Kameles Wut
Und nicht den Drachen in der Flut

Und nicht der Mäuse Tückespiel,
Als ihm die Beer' ins Auge fiel.
Er ließ das Tier von oben rauschen
Und unter sich den Drachen lauschen
Und neben sich die Mäuse nagen,
Griff nach den Beerlein mit Behagen,
Sie deuchten ihm zu essen gut,
Aß Beer' auf Beerlein wohlgemut,
Und durch die Süßigkeit im Essen
War alle seine Furcht vergessen.

Du fragst: «Wer ist der töricht Mann,
Der so die Furcht vergessen kann?»
So wiss', o Freund, der Mann bist du;
Vernimm die Deutung auch dazu.
Es ist der Drach' im Brunnengrund
Des Todes aufgesperrter Schlund;
Und das Kamel, das oben droht,
Es ist des Lebens Angst und Not.
Du bist's, der zwischen Tod und Leben
Am grünen Strauch der Welt mußt
                              schweben.
Die beiden, so die Wurzel nagen,
Dich samt den Zweigen, die dich tragen,
Zu liefern in des Todes Macht,
Die Mäuse heißen Tag und Nacht.

Es nagt die schwarze wohl verborgen
Vom Abend heimlich bis zum Morgen,
Es nagt vom Morgen bis zum Abend
Die weiße, wurzeluntergrabend.
Und zwischen diesem Graus und Wust
Lockt dich die Beere Sinnenlust,
Daß du Kamel, die Lebensnot,
Daß du im Grund den Drachen Tod,
Daß du die Mäuse Tag und Nacht
Vergissest und auf nichts hast acht,
Als daß du recht viel Beerlein haschest,
Aus Grabes Brunnenritzen naschest.

Es ritt ein Herr

Es ritt ein Herr, das war sein Recht,
Zu Fuße ließ er gehn den Knecht;
Er reitet über Stock und Stein,
Daß kaum der Knecht kann hinterdrein.
Der Treue schleppt sich hinterher
Dem leichten Ritt und fürchtet sehr,
Zu Falle komm' er schwer.

«Herr! Herr!» erschallt des Knechtes Ruf,
«Ein Nagel ging Euch los vom Huf;
Und schlagt Ihr nicht den Nagel ein,
So wird der Huf verloren sein.»
«Ei! Nagel hin und Nagel her!
Der Huf hat ja der Nägel mehr
Und hält noch ohngefähr.»

Und wieder schallt des Knechtes Ruf:
«Herr! losgegangen ist ein Huf;
Und schlagt Ihr nicht das Eisen an,
So ist es um das Roß getan.»
«Hufeisen hin, Hufeisen her!
Das Rößlein hat Hufeisen mehr
Und geht noch wie vorher.»

Und eh' der dritte Ruf erschallt,
Da ist er an den Stein geprallt;
Das Rößlein liegt und steht nicht auf,
Geendet ist des Herren Lauf.
Er spricht nicht mehr: «Roß hin, Roß her!
Er rafft sich auf und schreitet schwer
Mit seinem Knecht einher.

Joseph Christian von Zedlitz
1790–1862

Die nächtliche Heerschau

Nachts um die zwölfte Stunde
Verläßt der Tambour sein Grab,
Macht mit der Trommel die Runde,
Geht emsig auf und ab.

Mit seinen entfleischten Armen
Rührt er die Schlägel zugleich,
Schlägt manchen guten Wirbel,
Reveille und Zapfenstreich.

Die Trommel klinget seltsam,
Hat gar einen starken Ton;
Die alten toten Soldaten
Erwachen im Grab davon.

Und die im tiefen Norden,
Erstarrt in Schnee und Eis,
Und die in Welschland liegen,
Wo ihnen die Erde zu heiß;

Und die der Nilschlamm decket
Und der arabische Sand,
Sie steigen aus ihren Gräbern,
Sie nehmen 's Gewehr zur Hand.

Und um die zwölfte Stunde
Verläßt der Trompeter sein Grab,
Und schmettert in die Trompete
Und reitet auf und ab.

Da kommen auf luftigen Pferden
Die toten Reiter herbei,
Die blutigen alten Schwadronen
In Waffen mancherlei.

Es grinsen die weißen Schädel
Wohl unter dem Helm hervor,
Es halten die Knochenhände
Die langen Schwerter empor.

Und um die zwölfte Stunde
Verläßt der Feldherr sein Grab,
Kommt langsam hergeritten,
Umgeben von seinem Stab.

Er trägt ein kleines Hütchen,
Er trägt ein einfach Kleid,
Und einen kleinen Degen
Trägt er an seiner Seit'.

Der Mond mit gelbem Lichte
Erhellt den weiten Plan:
Der Mann im kleinen Hütchen
Sieht sich die Truppen an.

Die Reihen präsentieren
Und schultern das Gewehr,
Dann zieht mit klingendem Spiele
Vorüber das ganze Heer.

Die Marschäll' und Generale
Schließen um ihn einen Kreis:
Der Feldherr sagt dem nächsten
Ins Ohr ein Wörtlein leis.

Das Wort geht in die Runde,
Klingt wieder fern und nah,
«Frankreich» ist die Parole,
Die Losung «Sankt Helena!».

Dies ist die große Parade
Im elysäischen Feld,
Die um die zwölfte Stunde
Der tote Cäsar hält.

Theodor Körner
1791–1813

Ausgenommen!

Im Gasthofe «Zum Gekrönten Schwan»
Kam einst ein Fremder zu Pferde an,
Wie sie wohl nicht alle Tage kommen.
Der Wirt empfing ihn mit emsiger Hast
Und rief: «Sie sind mir der liebste Gast,
Den Burgemeister nur ausgenommen.»

Der Fremde sprach: «Ei, das soll mich freun;
Denn ich bitte, könnt' es nur möglich sein,
In wenig Minuten den Tisch mir zu decken.»
Da ward ihm denn auch sogleich serviert,
Und alles war trefflich präpariert;
Dem Fremden schien es köstlich zu schmecke

Und endlich rief er zufrieden: «Es hat
Wohl niemand in Eurer ganzen Stadt
Ein solches Mittagsmahl eingenommen
Und mit so viel Appetit auch als ich.»
Und schnell sprach der Wirt und bückte sich:
«Den Burgemeister nur ausgenommen.»

«Ei Wetter, ich nehme niemand aus;
Bleibt mir mit dem Burgemeister zu Haus!

Was soll auch nur das Geplauder frommen?»
Doch wie auch des Fremden Rede war,
Der Wirt entgegnete immerdar:
«Den Burgemeister nur ausgenommen.»

Und sagt' er's auch so demütig noch,
Den Fremden verdroß es endlich doch;
Er begann sich ernstlich mit ihm zu streiten.
Zuletzt aber rief er, vom Reden matt:
«Ich habe das leere Geschwätz nun satt –
Der Burgemeister soll selbst entscheiden!»

Sie eilten hin. – Behaglich und rund
Empfing er sie, und so sprach sein Mund:
«Sie müssen sich freilich zur Strafe bequemen;
Denn hier ist es einmal Sitte und Pflicht,
Bei allem, was man erzählt und spricht,
Den Burgemeister wohl auszunehmen!»

Da lachte der Fremde dem Herrn ins Gesicht:
«Hier ist denn mein Strafgeld, ich weigere
                              mich nicht.
Und bin ich auch weit schon herumgekommen,
So kann ich doch sicher schwören: ich sah
Keinen größeren Narren als den Gastwirt da –
Den Burgemeister zwar ausgenommen.»

Gustav Schwab
1792–1850

Der Reiter und der Bodensee

Der Reiter reitet durchs helle Tal,
Auf Schneefeld schimmert der Sonne Strahl.

Er trabet im Schweiß durch den kalten Schnee,
Er will noch heut an den Bodensee;

Noch heut mit dem Pferd in den sichern Kahn
Will drüben landen vor Nacht noch an.

Auf schlimmem Weg, über Dorn und Stein,
Er braust auf rüstigem Roß feldein.

Aus den Bergen heraus, ins ebene Land,
Da sieht er den Schnee sich dehnen wie Sand.

Weit hinter ihm schwinden Dorf und Stadt,
Der Weg wird eben, die Bahn wird glatt.

In weiter Fläche kein Bühl, kein Haus.
Die Bäume gingen, die Felsen aus;

So flieget er hin eine Meil' und zwei,
Er hört in den Lüften der Schneegans Schrei;

Es flattert das Wasserhuhn empor,
Nicht anderen Laut vernimmt sein Ohr;

Keinen Wandersmann sein Auge schaut,
Der ihm den rechten Pfad vertraut.

Fort geht's, wie auf Samt, auf dem weichen
Schnee,
Wann rauscht das Wasser, wann glänzt der See?

Da bricht der Abend, der frühe, herein:
Von Lichtern blinket ein ferner Schein.

Es hebt aus dem Nebel sich Baum an Baum,
Und Hügel schließen den weiten Raum.

Er spürt auf dem Boden Stein und Dorn,
Dem Rosse gibt er den scharfen Sporn.

Und Hunde bellen empor am Pferd,
Und es winkt im Dorf ihm der warme Herd.

«Willkommen am Fenster, Mägdelein,
An den See, an den See, wie weit mag's sein?»

Die Maid, sie staunet den Reiter an:
«Der See liegt hinter dir und der Kahn,

Und deckt' ihn die Rinde von Eis nicht zu,
Ich spräch', aus dem Nachen stiegest du.»

Der Fremde schaudert, er atmet schwer:
«Dort hinten die Ebne, die ritt ich her!»

Da recket die Magd die Arm' in die Höh':
«Herr Gott! so rittest du über den See:

An den Schlund, an die Tiefe bodenlos,
Hat gepocht des rasenden Hufes Stoß!

Und unter dir zürnten die Wasser nicht?
Nicht krachte hinunter die Rinde dicht?

Und du wardst nicht die Speise der stummen
Brut?
Der hungrigen Hecht' in der kalten Flut?»

Sie rufet das Dorf herbei zu der Mär,
Es stellen die Knaben sich um ihn her;

Die Mütter, die Greise, sie sammeln sich:
«Glückseliger Mann, ja, segne du dich!

Herein zum Ofen, zum dampfenden Tisch,
Brich mit uns das Brot und iß vom Fisch!»

Der Reiter erstarret auf seinem Pferd,
Er hat nur das erste Wort gehört.

Es stocket sein Herz, es sträubt sich sein Haar,
Dicht hinter ihm grinst noch die grause Gefahr

Es siehet sein Blick nur den gräßlichen Schlund
Sein Geist versinkt in den schwarzen Grund.

Im Ohr ihm donnert's, wie krachend Eis,
Wie die Well' umrieselt ihn kalter Schweiß.

Da seufzt er, da sinkt er vom Roß herab,
Da ward ihm am Ufer ein trocken Grab.

Wilhelm Müller
1794–1827

Der Glockenguß zu Breslau

War einst ein Glockengießer
Zu Breslau in der Stadt,
Ein ehrenwerter Meister,
Gewandt in Rat und Tat.

Er hatte schon gegossen
Viel Glocken, gelb und weiß,
Für Kirchen und Kapellen,
Zu Gottes Lob und Preis.

Und seine Glocken klangen
So voll, so hell, so rein;
Er goß auch Lieb' und Glauben
Mit in die Form hinein.

Doch aller Glocken Krone,
Die er gegossen hat,
Das ist die Sünderglocke
Zu Breslau in der Stadt;

Im Magdalenenturme,
Da hängt das Meisterstück.
Rief schon manch starres Herze
Zu seinem Gott zurück.

Wie hat der gute Meister
So treu das Werk bedacht!
Wie hat er seine Hände
Gerührt bei Tag und Nacht!

Und als die Stunde kommen,
Daß alles fertig war,
Die Form ist eingemauert,
Die Speise gut und gar;

Da ruft er seinen Buben
Zur Feuerwacht herein:
«Ich lass' auf kurze Weile
Beim Kessel dich allein.

Will mich mit einem Trunke
Noch stärken zu dem Guß,
Das gibt der zähen Speise
Erst einen vollen Fluß.

Doch hüte dich, und rühre
Den Hahn mir nimmer an,
Sonst wär' es um dein Leben,
Fürwitziger, getan!»

Der Bube steht am Kessel,
Schaut in die Glut hinein:
Das wogt und wallt und wirbelt
Und will entfesselt sein,

Und zischt ihm in die Ohren
Und zuckt ihm durch den Sinn,
Und zieht an allen Fingern
Ihn nach dem Hahne hin.

Er fühlt ihn in den Händen,
Er hat ihn umgedreht;
Da wird ihm angst und bange,
Er weiß nicht, was er tät'.

Und läuft hinaus zum Meister,
Die Schuld ihm zu gestehn,
Will seine Knie umfassen
Und ihn um Gnade flehn.

Doch wie der nur vernommen
Des Knaben erstes Wort,
Da reißt die kluge Rechte
Der jähe Zorn ihm fort.

Er stößt sein scharfes Messer
Dem Buben in die Brust,
Dann stürzt er nach dem Kessel,
Sein selber nicht bewußt.

Vielleicht, daß er noch retten,
Den Strom noch hemmen kann:
Doch sieh, der Guß ist fertig,
Es fehlt kein Tropfen dran.

Da eilt er abzuräumen,
Und sieht, und will's nicht sehn,
Ganz ohne Fleck und Makel
Die Glocke vor sich stehn.

Der Knabe liegt am Boden,
Er schaut sein Werk nicht mehr:
Ach Meister, wilder Meister,
Du stießest gar zu sehr!

Er stellt sich dem Gerichte,
Er klagt sich selber an,
Es tut den Richtern wehe
Wohl um den wackern Mann.

Doch kann ihn keiner retten,
Und Blut will wieder Blut;
Er hört sein Todesurteil
Mit ungebeugtem Mut.

Und als der Tag gekommen,
Daß man ihn führt hinaus,
Da wird ihm angeboten
Der letzte Gnadenschmaus.

«Ich dank' euch», spricht der Meister,
«Ihr Herren lieb und wert;
Doch eine andre Gnade
Mein Herz von euch begehrt:

Laßt mich nur einmal hören
Der neuen Glocke Klang!
Ich hab' sie ja bereitet,
Möcht' wissen, ob's gelang.»

Die Bitte ward gewähret,
Sie schien den Herrn gering;
Die Glocke ward geläutet,
Als er zum Tode ging.

Der Meister hört sie klingen,
So voll, so hell, so rein!
Die Augen gehn ihm über,
Es muß vor Freude sein:

Und seine Blicke leuchten,
Als wären sie verklärt;
Er hat in ihrem Klange
Wohl mehr als Klang gehört.

Hat auch geneigt den Nacken
Zum Streich voll Zuversicht;
Und was der Tod versprochen,
Das bricht das Leben nicht.

Das ist der Glocken Krone,
Die er gegossen hat,
Die Magdalenenglocke
Zu Breslau in der Stadt.

Die ward zur Sünderglocke
Seit jenem Tag geweiht;
Weiß nicht, ob's anders worden
In dieser neuen Zeit.

August von Platen
1796–1835

Der Pilgrim vor Sankt Just[29]

Nacht ist's, und Stürme sausen für und für;
Hispanische Mönche, schließt mir auf die Tür!

Laßt hier mich ruhn, bis Glockenton mich weckt,
Der zum Gebet euch in die Kirche schreckt!

Bereitet mir, was euer Haus vermag,
Ein Ordenskleid und einen Sarkophag!

Gönnt mir die kleine Zelle, weiht mich ein,
Mehr als die Hälfte dieser Welt war mein.

Das Haupt, das nun der Schere sich bequemt,
Mit mancher Krone ward's bediademt.

Die Schulter, die der Kutte nun sich bückt,
Hat kaiserlicher Hermelin geschmückt.

Nun bin ich vor dem Tod den Toten gleich,
Und fall' in Trümmer wie das alte Reich.

Das Grab im Busento

Nächtlich am Busento lispeln, bei Cosenza,
                    dumpfe Lieder,
Aus den Wassern schallt es Antwort, und in
                    Wirbeln klingt es wider.

Und den Fluß hinauf, hinunter, ziehn die Schatt
                    tapfrer Goten,
Die den Alarich[30] beweinen, ihres Volkes besten
                    Toten.

Allzu früh und fern der Heimat mußten hier sie
                    ihn begraben,
Während noch die Jugendlocken seine Schulter
                    blond umgaben.

Und am Ufer des Busento reihten sie sich
                    um die Wette,
Um die Strömung abzuleiten, gruben sie ein
                    frisches Bette.

In der wogenleeren Höhlung wühlten sie empor
                    die Erde,
Senkten tief hinein den Leichnam, mit der
                    Rüstung, auf dem Pferde.

Deckten dann mit Erde wieder ihn und seine
stolze Habe,
Daß die hohen Stromgewächse wüchsen aus dem
Heldengrabe.

Abgelenkt zum zweiten Male, ward der Fluß
herbeigezogen,
Mächtig in ihr altes Bette schäumten
die Busentowogen.

Und es sang ein Chor von Männern: «Schlaf
in deinen Heldenehren!
Keines Römers schnöde Habsucht soll dir je
dein Grab versehren!»

Sangen's, und die Lobgesänge tönten fort
im Gotenheere;
Wälze sie, Busentowogen, wälze sie von Meer
zu Meere!

Annette von Droste-Hülshoff
1797–1848

Der Knabe im Moor

O schaurig ist's, übers Moor zu gehn,
Wenn es wimmelt vom Heiderauche,
Sich wie Phantome die Dünste drehn
Und die Ranke häkelt am Strauche,
Unter jedem Tritt ein Quellchen springt,
Wenn aus der Spalte es zischt und singt,
O schaurig ist's, übers Moor zu gehn,
Wenn das Röhricht knistert im Hauche!

Fest hält die Fibel das zitternde Kind
Und rennt, als ob man es jage;
Hohl über die Fläche sauset der Wind –
Was raschelt drüben am Hage?
Das ist der gespenstige Gräberknecht,
Der dem Meister die besten Torfe verzecht;
Hu, hu, es bricht wie ein irres Rind!
Hin ducket das Knäblein zage.

Vom Ufer starret Gestumpf hervor,
Unheimlich nicket die Föhre,
Der Knabe rennt, gespannt das Ohr,
Durch Riesenhalme wie Speere;
Und wie es rieselt und knittert darin!
Das ist die unselige Spinnerin,

Das ist die gebannte Spinn-Lenor',
Die den Haspel dreht im Geröhre!

Voran, voran, nur immer im Lauf,
Voran, als woll' es ihn holen;
Vor seinem Fuße brodelt es auf,
Es pfeift ihm unter den Sohlen
Wie eine gespenstige Melodey;
Das ist der Geigemann ungetreu,
Das ist der diebische Fiedler Knauf,
Der den Hochzeitheller gestohlen!

Da birst das Moor, ein Seufzer geht
Hervor aus der klaffenden Höhle;
Weh, weh, da ruft die verdammte
                          Margreth:
«Ho, ho, meine arme Seele!»
Der Knabe springt wie ein wundes Reh,
Wär' nicht Schutzengel in seiner Näh',
Seine bleichenden Knöchelchen fände spät
Ein Gräber im Moorgeschwehle.

Da mählig gründet der Boden sich,
Und drüben, neben der Weide,
Die Lampe flimmert so heimatlich,
Der Knabe steht an der Scheide.
Tief atmet er auf, zum Moor zurück
Noch immer wirft er den scheuen Blick:
Ja, im Geröhre war's fürchterlich,
O schaurig war's in der Heide!

Die Vergeltung[31]

I

Der Kapitän steht an der Spiere,
Das Fernrohr in gebräunter Hand,
Dem schwarzgelockten Passagiere
Hat er den Rücken zugewandt.
Nach einem Wolkenstreif in Sinnen
Die beiden wie zwei Pfeiler sehn,
Der Fremde spricht: «Was braut da
                                    drinnen?»
«Der Teufel», brummt der Kapitän.

Da hebt von morschen Balkens Trümmer
Ein Kranker seine feuchte Stirn,
Des Äthers Blau, der See Geflimmer,
Ach, alles quält sein fiebernd Hirn!
Er läßt die Blicke, schwer und düster,
Entlängs dem harten Pfühle gehn,
Die eingegrabnen Worte liest er:
«Batavia. Fünfhundert Zehn.»

Die Wolke steigt, zur Mittagsstunde
Das Schiff ächzt auf der Wellen Höhn,
Gezisch, Geheul aus wüstem Grunde,
Die Bohlen weichen mit Gestöhn.
«Jesus, Marie! wir sind verloren!»
Vom Mast geschleudert der Matros',
Ein dumpfer Krach in aller Ohren,
Und langsam löst der Bau sich los.

Noch liegt der Kranke am Verdecke,
Um seinen Balken festgeklemmt,
Da kömmt die Flut, und eine Strecke
Wird er ins wüste Meer geschwemmt.
Was nicht geläng' der Kräfte Sporne*,
Das leistet ihm der starre Krampf,
Und wie ein Narval mit dem Horne
Schießt fort er durch der Wellen Dampf.

Wie lange so? Er weiß es nimmer,
Dann trifft ein Strahl des Auges Ball,
Und langsam schwimmt er mit der Trümmer
Auf ödem glitzerndem Kristall.
Das Schiff! – die Mannschaft! – sie versanken.
Doch nein, dort auf der Wasserbahn,
Dort sieht den Passagier er schwanken
In einer Kiste morschem Kahn.

---

* mit gewöhnlicher Kraft

Armsel'ge Lade! sie wird sinken;
Er strengt die heisre Stimme an:
«Nur grade! Freund, du drückst zur Linken!»
Und immer näher schwankt's heran,
Und immer näher treibt die Trümmer,
Wie ein verwehtes Möwennest;
«Courage!» ruft der kranke Schwimmer,
«Mich dünkt, ich sehe Land im West!»

Nun rühren sich der Fähren Ende,
Er sieht des fremden Auges Blitz,
Da plötzlich fühlt er starke Hände,
Fühlt wütend sich gezerrt vom Sitz.
«Barmherzigkeit! ich kann nicht kämpfen.»
Er klammert dort, er klemmt sich hier;
Ein heisrer Schrei, den Wellen dämpfen,
Am Balken schwimmt der Passagier.

Dann hat er kräftig sich geschwungen
Und schaukelt durch das öde Blau,
Er sieht das Land wie Dämmerungen
Enttauchen und zergehn in Grau.
Noch lange ist er so geschwommen,
Umflattert von der Möwe Schrei,
Dann hat ein Schiff ihn aufgenommen,
Viktoria! nun ist er frei!

II

Drei kurze Monde sind verronnen,
Und die Fregatte liegt am Strand,
Wo mittags sich die Robben sonnen,
Und Bursche klettern übern Rand,
Den Mädchen ist's ein Abenteuer,
Es zu erschaun vom fernen Riff,
Denn noch zerstört ist nicht geheuer
Das gräuliche Korsarenschiff.

Und vor der Stadt da ist ein Waten,
Ein Wühlen durch das Kiesgeschrill,
Da die verrufenen Piraten
Ein jeder sterben sehen will.
Aus Strandgebälken, morsch, zertrümmert,
Hat man den Galgen, dicht am Meer,
In wüster Eile aufgezimmert.
Dort dräut er von der Düne her!

Welch ein Getümmel an den Schranken!
«Da kömmt der Frei – der Hessel jetzt –
Da bringen sie den schwarzen Franken,
Der hat geleugnet bis zuletzt.»
«Schiffbrüchig sei er hergeschwommen»,
Höhnt eine Alte: «Ei, wie kühn!
Doch keiner sprach zu seinem Frommen,
Die ganze Bande gegen ihn.»

Der Passagier, am Galgen stehend,
Hohläugig, mit zerbrochnem Mut,
Zu jedem Räuber flüstert flehend:
«Was tat dir mein unschuldig Blut!
Barmherzigkeit! So muß ich sterben
Durch des Gesindels Lügenwort,
O mög' die Seele euch verderben!»
Da zieht ihn schon der Scherge fort.

Er sieht die Menge wogend spalten –
Er hört das Summen im Gewühl –
Nun weiß er, daß des Himmels Walten
Nur seiner Pfaffen Gaukelspiel!
Und als er in des Hohnes Stolze
Will starren nach den Ätherhöhn,
Da liest er an des Galgens Holze:
«Batavia. Fünfhundert Zehn.»

Heinrich Heine
1797–1856

Belsazar

Die Mitternacht zog näher schon;
In stiller Ruh' lag Babylon.

Nur oben in des Königs Schloß,
Da flackert's, da lärmt des Königs Troß.

Dort oben in dem Königssaal
Belsazar[32] hielt sein Königsmahl.

Die Knechte saßen in schimmernden Reihn
Und leerten die Becher mit funkelndem Wein.

Es klirrten die Becher, es jauchzten die Knecht';
So klang es dem störrigen Könige recht.

Des Königs Wangen leuchten Glut;
Im Wein erwuchs ihm kecker Mut.

Und blindlings reißt der Mut ihn fort;
Und er lästert die Gottheit mit sündigem Wort.

Und er brüstet sich frech und lästert wild;
Die Knechtenschar ihm Beifall brüllt.

Der König rief mit stolzem Blick;
Der Diener eilt und kehrt zurück.

Er trug viel gülden Gerät auf dem Haupt;
Das war aus dem Tempel Jehovahs geraubt.

Und der König ergriff mit frevler Hand
Einen heiligen Becher, gefüllt bis am Rand.

Und er leert ihn hastig bis auf den Grund
Und rufet laut mit schäumendem Mund:

«Jehova! dir künd' ich auf ewig Hohn –
Ich bin der König von Babylon!»

Doch kaum das grause Wort verklang,
Dem König ward's heimlich im Busen bang.

Das gellende Lachen verstummte zumal;
Es wurde leichenstill im Saal.

Und sieh! und sieh! an weißer Wand,
Da kam's hervor, wie Menschenhand;

Und schrieb, und schrieb an weißer Wand
Buchstaben von Feuer, und schrieb und schwa

Der König stieren Blicks da saß,
Mit schlotternden Knien und totenblaß.

Die Knechtenschar saß kalt durchgraut,
Und saß gar still, gab keinen Laut.

Die Magier kamen, doch keiner verstand
Zu deuten die Flammenschrift an der Wand.

Belsazar ward aber in selbiger Nacht
Von seinen Knechten umgebracht.

Die schlesischen Weber[33]

Im düstern Auge keine Träne,
Sie sitzen am Webstuhl und fletschen die Zähne:
«Deutschland, wir weben dein Leichentuch,
Wir weben hinein den dreifachen Fluch –
    Wir weben, wir weben!

Ein Fluch dem Gotte, zu dem wir gebeten
In Winterskälte und Hungersnöten;
Wir haben vergebens gehofft und geharrt,
Er hat uns geäfft und gefoppt und genarrt –
    Wir weben, wir weben!

Ein Fluch dem König, dem König der Reichen,
Den unser Elend nicht konnte erweichen,
Der den letzten Groschen von uns erpreßt
Und uns wie Hunde erschießen läßt –
    Wir weben, wir weben!

Ein Fluch dem falschen Vaterlande,
Wo nur gedeihen Schmach und Schande,
Wo jede Blume früh geknickt,
Wo Fäulnis und Moder den Wurm erquickt –
    Wir weben, wir weben!

Das Schiffchen fliegt, der Webstuhl kracht,
Wir weben emsig Tag und Nacht –
Altdeutschland, wir weben dein Leichentuch,
Wir weben hinein den dreifachen Fluch,
    Wir weben und weben!»

Der Apollogott

I

Das Kloster ist hoch auf Felsen gebaut,
Der Rhein vorüberrauschet;
Wohl durch das Gitterfenster schaut
Die junge Nonne und lauschet.

Da fährt ein Schifflein, märchenhaft
Vom Abendrot beglänzet;
Es ist bewimpelt von buntem Taft,
Von Lorbeern und Blumen bekränzet.

Ein schöner, blondgelockter Fant
Steht in des Schiffes Mitte;
Sein goldgesticktes Purpurgewand
Ist von antikem Schnitte.

Zu seinen Füßen liegen da
Neun marmorschöne Weiber;
Die hochgeschürzte Tunika
Umschließt die schlanken Leiber.

Der Goldgelockte lieblich singt
Und spielt dazu die Leier;
Ins Herz der armen Nonne dringt
Das Lied und brennt wie Feuer.

Sie schlägt ein Kreuz, und noch einmal
Schlägt sie ein Kreuz, die Nonne;
Nicht scheucht das Kreuz die süße Qual,
Nicht bannt es die bittre Wonne.

II

Ich bin der Gott der Musika,
Verehrt in allen Landen;
Mein Tempel hat in Gräcia
Auf Mont-Parnaß gestanden.

Auf Mont-Parnaß in Gräcia,
Da hab' ich oft gesessen
Am holden Quell Kastalia,
Im Schatten der Zypressen.

Vokalisierend saßen da
Um mich herum die Töchter,
Das sang und klang la-la, la-la!
Geplauder und Gelächter.

Mitunter rief tra-ra, tra-ra!
Ein Waldhorn aus dem Holze;
Dort jagte Artemisia,
Mein Schwesterlein, die Stolze.

Ich weiß es nicht, wie mir geschah:
Ich brauchte nur zu nippen
Vom Wasser der Kastalia,
Da tönten meine Lippen.

Ich sang – und wie von selbst beinah
Die Leier klang, berauschend;
Mir war, als ob ich Daphne sah,
Aus Lorbeerbüschen lauschend.

Ich sang – und wie Ambrosia
Wohlrüche sich ergossen,
Es war von einer Gloria
Die ganze Welt umflossen.

Wohl tausend Jahr' aus Gräcia
Bin ich verbannt, vertrieben –
Doch ist mein Herz in Gräcia,
In Gräcia geblieben.

III

In der Tracht der Beginen,
In dem Mantel mit der Kappe
Von der gröbsten schwarzen Serge,
Ist vermummt die junge Nonne.

Hastig längs des Rheines Ufern
Schreitet sie hinab die Landstraß',
Die nach Holland führt, und hastig
Fragt sie jeden, der vorbeikommt:

«Habt Ihr nicht gesehn Apollo?
Einen roten Mantel trägt er,
Lieblich singt er, spielt die Leier,
Und er ist mein holder Abgott.»

Keiner will ihr Rede stehen,
Mancher dreht ihr stumm den Rücken,
Mancher glotzt sie an und lächelt,
Mancher seufzet: «Armes Kind!»

Doch des Wegs herangetrottelt
Kommt ein schlottrig alter Mensch,
Fingert in der Luft, wie rechnend,
Näselnd singt er vor sich hin.

Einen schlappen Quersack trägt er,
Auch ein klein dreieckig Hütchen;
Und mit schmunzelnd klugen Äuglein
Hört er an den Spruch der Nonne:

«Habt Ihr nicht gesehn Apollo?
Einen roten Mantel trägt er,
Lieblich singt er, spielt die Leier,
Und er ist mein holder Abgott.»

Jener aber gab zur Antwort,
Während er sein Köpfchen wiegte
Hin und her, und gar possierlich
Zupfte an dem spitzen Bärtchen:

«Ob ich ihn gesehen habe?
Ja, ich habe ihn gesehen
Oft genug zu Amsterdam,
In der deutschen Synagoge.

Denn er war Vorsänger dorten,
Und da hieß er Rabbi Faibisch,
Was auf hochdeutsch heißt Apollo –
Doch mein Abgott ist er nicht.

Roter Mantel? Auch den roten
Mantel kenn' ich. Echter Scharlach,
Kostet acht Florin die Elle,
Und ist noch nicht ganz bezahlt.

Seinen Vater Moses Jitscher
Kenn' ich gut. Vorhautabschneider
Ist er bei den Portugiesen.
Er beschnitt auch Souveräne.

Seine Mutter ist Cousine
Meines Schwagers, und sie handelt
Auf der Gracht mit sauern Gurken
Und mit abgelebten Hosen.

Haben kein Pläsier am Sohne.
Dieser spielt sehr gut die Leier,
Aber leider noch viel besser
Spielt er oft Tarock und L'hombre.

Auch ein Freigeist ist er, aß
Schweinefleisch, verlor sein Amt,
Und er zog herum im Lande
Mit geschminkten Komödianten.

In den Buden, auf den Märkten
Spielte er den Pickelhering,
Holofernes, König David,
Diesen mit dem besten Beifall.

Denn des Königs eigne Lieder
Sang er in des Königs eigner
Muttersprache, tremulierend
In des Nigens alter Weise.

Aus dem Amsterdamer Spielhuis
Zog er jüngst etwelche Dirnen,
Und mit diesen Musen zieht er
Jetzt herum als ein Apollo.

Eine dicke ist darunter,
Die vorzüglich quiekt und grünzelt;
Ob dem großen Lorbeerkopfputz
Nennt man sie die grüne Sau.»

August Heinrich
Hoffmann von Fallersleben
1798–1874

Beim Abschied

Es zog ein Reiter wohl in den Krieg,
Und als er auf sein Grauroß stieg,
Da hub er an zu singen.

Und als das Mägdlein das vernahm,
Da hub sie an vor lauter Gram
Gar bitterlich zu weinen.

«Sag an, was weinest du so sehr?
Es gibt der Reiter noch viel mehr
Auf Gottes lieber Erde.»

«O Reiter, lieber Reiter mein,
Wirst du von mir geschieden sein,
Ist auch mein Glück geschieden!»

Und als das Mägdlein sprach das Wort,
Stand still das Roß, er konnte nicht fort,
Das Herz wollt' ihm zerspringen.

Und plötzlich hub er wieder an:
«Wer für sein Lieb nicht sterben kann,
Verdient nicht Lieb' und Treue!

Da! nimm mein goldnes Ringelein!
Ade! Es muß geschieden sein –
Dein bleib' ich heut und immer!»

Pater Guardian

Der Guardian ging über Feld
So leicht, als zög' er aus der Welt,
Trug nur am Leibe Kutt' und Rock
Und in der Hand den Wanderstock.

Da eilet wie von ohngefähr
Des Wegs ein Edelmann daher:
«Ehrwürd'ger Herr, Gott grüß' Euch hier!
Desselben Weges wandern wir.»

Sie sprechen dies, sie sprechen das,
Erzählen manchen Schwank und Spaß,
Mitunter auch ein ernstes Wort
Und ziehn so ihres Weges fort.

Auf einmal aber führt der Weg
An einen Gießbach ohne Steg;
Der Pater schreitet schon voran,
Da hält ihn fest der Edelmann.

«Herr Pater, weil Ihr barfuß seid,
So habt anjetzt die Gütigkeit,
Tragt mich hindurch um Gottes Lohn.»
Der Pater spricht: «Das tu' ich schon.»

Doch als er in dem Gießbach hält:
«Herr», fragt er, «sagt, habt Ihr auch Geld?»
«Geld hab' ich, ja, was geht's Euch an?»
Antwortet drauf der Edelmann.

«Es ist des Ordens streng Statut,
Niemand darf tragen Geld und Gut –
Herr, nichts für ungut!» – spricht's, und schne
Liegt auch im Bach der Spießgesell.

August Kopisch
1799–1853

Der Mäuseturm

Am Mäuseturm[34], um Mitternacht,
Des Bischofs Hatto[35] Geist erwacht:
Er flieht um die Zinnen im Höllenschein
Und glühende Mäuslein hinter ihm drein!

Der Hungrigen hast du, Hatto, gelacht,
Die Scheuer Gottes zur Hölle gemacht.
Drum ward jedes Körnlein im Speicher dein
Verkehrt in ein nagendes Mäuselein!

Du flohst auf den Rhein in den Inselturm;
Doch hinter dir rauschte der Mäusesturm.
Du schlossest den Turm mit eherner Tür;
Sie nagten den Stein und drangen herfür.

Sie fraßen die Speise, die Lagerstatt,
Sie fraßen den Tisch dir und wurden nicht satt!
Sie fraßen dich selber zu aller Graus
Und nagten den Namen dein überall aus. –

Fern rudern die Schiffer um Mitternacht,
Wenn schwirrend dein irrender Geist erwacht:
Er flieht um die Zinnen im Höllenschein
Und glühende Mäuslein hinter ihm drein.

Franz von Gaudy
1800–1840

Josephine

In der kaiserlichen Halle thronet ernst
Napoleon;
All die Fürsten, all die Großen drängen sich
um seinen Thron.
All die Fürsten, all die Großen lauschen jenem
Wort gespannt,
Was noch eh'r als Tod zerreißen soll der Liebe
zartes Band.

In der kaiserlichen Halle thronet, jetzt zum
letzten Mal,
An des Kaisergatten Seite sein tieftrauerndes
Gemahl.
Von der Stirne, von dem Busen glänzen Perlen
des Geschmeids,
In den Augen schimmern Perlen aus dem Meer
des Seelenleids.

Was der Herrscher auf dem Throne mit
bewegter Stimme spricht
Wie des Reiches Kanzler schmeichelt,
Josephine hört es nicht.

Worte mögen nicht betäuben des zerrißnen
                    Herzens Qual,
Und der Blumenkranz versöhnet nicht das
                    Opfer mit dem Stahl.

Trän' im Auge, Trän' im Herzen, denkt die
                    Kaiserin der Zeit,
Wo den Gatten Robespierres Blutspruch dem
                    Schafott geweiht;
Wo ihr Knabe, kühnen Trotzes, forderte des
                    Vaters Schwert,
Wo er, stolz des ersten Sieges, an des Feldherrn
                    Hand gekehrt.

Jener sonn'gen Tage denkt sie, wo ihr
                    des Jahrhunderts Held
Huldigend zu Füßen legte die Trophäen
                    einer Welt;
Wo in Notre-Dames Hallen sie dieselbe Hand
                    geschmückt
Mit der Krone lichtem Golde, die den Reif
                    ihr jetzt entrückt.

So bewährten die Gestirne, was des Negerweibes
                    Mund,
In der Hand des zarten Kindes Zukunft lesend,
                    machte kund:

«Heil dir, Herrin, die dereinst du über Königin-
                                    nen ragst!
Weh dir, Herrin, die dereinst du deinen tiefen
                                    Sturz beklagst!»

Und die Kaiserin erhebt sich, zeichnet rasch
                                    das Pergament,
Das sie von der Herrscherkrone, das sie von
                                    dem Gatten trennt,
Scheidet mit verhülltem Auge, weinet unter
                                    Blumen fern,
Weinet bis zum Tod: entwichen ist mit ihr des
                                    Kaisers Stern.

Wilhelm Hauff
1802–1827

Hans Huttens Ende

Laut rufet Herr Ulrich[36], der Herzog, und sagt:
«Hans Hutten reite mit auf die Jagd,
Im Schönbuch[37] weiß ich ein Mutterschwein,
Wir schießen es für die Liebste mein.»

Und im Forst sich der Herzog zum Junker wandt':
«Hans Hutten, was flimmert an deiner Hand?»
«Herr Herzog, es ist halt ein Ringelein,
Ich hab' es von meiner Herzliebsten fein.»

«Herr Hans, du bist ja ein stattlicher Mann,
Hast gar auch ein güldenes Kettlein an.»
«Das hat mir mein herziger Schatz geschenkt
Zum Zeichen, daß sie noch meiner gedenkt.»

Und der Herzog blicket ihn schrecklich an:
«So? das hat alles dein Schatz getan!
Der Trauring ist es von meinem Weib,
Das Kettlein hing ich ihr selbst um den Leib.»

O Hutten, gib deinem Rappen den Sporn,
Schon rollet des Herzogs Auge im Zorn;
Flieh, Hutten, es ist die höchste Zeit,
Schon reißt er das blinkende Schwert
					aus der Scheid'!

«Dein Schwert raus, Buhler, mich dürstet seh
Zu sühnen mit Blut meines Bettes Ehr'!»
Flugs, Junker, ein Stoßgebetlein sprich,
Wenn Ulrich haut, haut er fürchterlich.

Es krachen die Rippen, es bricht das Herz;
Ruhig wischet Ulrich das blutige Erz,
Ruhig nimmt er des ledigen Pferdes Zaum
Und hänget die Leich' an den nächsten Baum

Es steht eine Eiche im Schönbuchwald,
Gar breit in den Ästen und hochgestalt;
Zum Zeichen wird sie Jahrhunderte stahn,
Hier hing der Herzog den Junker dran.

Und wenn man den Herzog vom Lande jagt,
Sein Name bleibt ihm, sein Schwert; er sagt:
«Mein Name, er verdorret ja nimmermehr,
Und gerächet hab' ich des Hauses Ehr'.»

Entschuldigung

Kam einst ein englischer Kapitan
Zu Stambul in dem Hafen an,
Der wollte nach der langen Fahrt
Sich gütlich tun nach seiner Art
Und in Stambuls krummen Gassen
Vor den Leuten sich sehen lassen.
Hatte auch weit und breit gehört,
Wie die Türken so schöne Pferd',
Reiche Geschirr' und Sättel haben;
Wollte auch wie ein Türke traben,
Und bestellt auf abends um vier
Ein recht feurig arabisch Tier.
Ziehet sich an im höchsten Staat,
Rotem Rock, mit Gold auf der Naht,
Schwärzt den Bart um Wange und Maul
Und steigt Punkt vier Uhr auf den Gaul.
Drauf, als er reitet durch das Tor,
Kam es den Türken komisch vor,
Hatten noch keinen Reiter gesehn
Wie den englischen Kapitän;
Die Knie hatt' er hinaufgezogen
Und seinen Rücken krumm gebogen,

Die Brust mit den Tressen eingedrückt,
Auch den Kopf tief herabgebückt,
Saß zu Pferd wie ein armer Schneider.
Doch der Schiffskapitän ritt weiter,
Glaubte getrost, die Türken lachen
Aus lauter Bewundrung in ihrer Sprachen.
So ritt er bis zum großen Platz,
Da macht der Araber einen Satz
Und steigt; der englische Kapitän
Ergreift des Arabers lange Mähn',
Gibt ihm verzweiflungsvoll die Sporen
Und schreit ihm auf englisch in die Ohren;
Das Roß den Reiter nicht verstand,
Setzt wieder und wirft ihn in den Sand.
Die Türken den Rotrock sehr beklagen,
Haben ihn auch zu Schiff getragen,
Und seinem Dragoman, einem Scioten[38],
Haben sie hoch und streng verboten,
Er dürf's nimmer wieder leiden,
Daß der Herr den Araber tät' reiten.
Als sie verlassen den Kapitan,
Befiehlt er gleich dem Dragoman,
Ihm auf englisch auszudeuten,
Was er gehört von diesen Leuten.
Der Grieche spricht: «Es ist nichts weiter,
Sie glauben, Ihr seid ein schlechter Reiter,
Wollen Ihr sollt in Stambuls Gassen
Nimmer zu Pferd Euch sehen lassen.»

Des hat sich der Kapitän gegrämt
Und vor den Türken sehr geschämt.
Spricht zum Dragoman: «Geh hinein
Und sage den Türken, es kommt vom Wein.
Der Herr ist sonst ein guter Reiter,
Aber heut an der Tafel, leider,
Hat er sich ziemlich im Sekt betrunken,
Da ist er im Rausche vom Pferd gesunken.»
Der Grieche ging zum Hafentor
Und trug den Türken die Sache vor.
Doch diese hörten ihn schaudernd an:
«Wir glaubten Gutes vom roten Mann
Und dachten, er sitze schlecht zu Pferd,
Weil's ihn sein Vater nicht besser gelehrt;
Aber wie! vom Weine betrunken,
Ist er im Rausche vom Pferd gesunken!
Pfui dem Giaur und seinem Glas,
Allah tue ihm dies und das!»
Da sprach ein alter Muselmann:
«Glaubt's nicht, Leute, höret mich an,
Nicht weil der Frank'[39] zu viel getrunken,
Ist er schmählich vom Roß gesunken.
Hab' gleich gedacht, es wird so gehn,
Als ich ihn habe reiten sehn,
Die Knie hoch hinaufgezogen,
Den Rücken krumm und schief gebogen,
Die Brust mit Tressen eingedrückt,
Kopf und Nacken niedergebückt.

Denk' ich, wenn sein Rößlein scheut,
Ihn sein Reiten gewiß gereut.
Aber nein, ich will euch sagen,
Warum er wollte den Wein verklagen
Und stellt sich lieber als Säufer gar
Denn als ein schlechter Reiter dar.
Das macht des Menschen Eitelkeit,
Die ihn zu Trug und Lug verleit't.
Will mancher lieber ein Laster haben,
Hätt' er nur andere glänzende Gaben;
Und mancher lieber eine Sünd' gesteht,
Eh' er eine Lächerlichkeit verrät;
Ein dritter will gar zur Hölle fahren,
Um sich ein falsch Erröten zu sparen.
So auch der fränkische Kapitan,
Schämt sich und lügt uns lieber an,
Will lieber Säufer sich lassen schelten,
Als für einen schlechten Reiter gelten.»

Nikolaus Lenau
1802–1850

Die drei Indianer

Mächtig zürnt der Himmel im Gewitter,
Schmettert manche Rieseneich' in Splitter,
Übertönt des Niagara Stimme,
Und mit seiner Blitze Flammenruten
Peitscht er schneller die beschäumten Fluten,
Daß sie stürzen mit empörtem Grimme.

Indianer stehn am lauten Rande,
Lauschen nach dem wilden Wogenbrande,
Nach des Waldes langem Sterbgestöhne;
Greis der eine, mit ergrautem Haare,
Aufrecht überragend seine Jahre,
Die zwei andern seine starken Söhne.

Seine Söhne jetzt der Greis betrachtet,
Und sein Blick sich dunkler jetzt umnachtet
Als die Wolken, die den Himmel schwärzen,
Und sein Aug' versendet wildre Blitze
Als das Wetter durch die Wolkenritze,
Und er spricht aus tief empörtem Herzen:

«Fluch den Weißen! ihren letzten Spuren!
Jeder Welle Fluch, worauf sie fuhren,

Die, einst Bettler, unsern Strand erklettert!
Fluch dem Windhauch, dienstbar ihrem Schiff,
Hundert Flüche jedem Felsenriffe,
Der sie nicht hat in den Grund geschmettert!

Täglich übers Meer in wilder Eile
Fliegen ihre Schiffe, gift'ge Pfeile
Treffen unsre Küste mit Verderben.
Nichts hat uns die Räuberbrut gelassen
Als im Herzen tödlich bittres Hassen:
Kommt, ihr Kinder, kommt, wir wollen sterben.

Also sprach der Alte, und sie schneiden
Ihren Nachen von des Ufers Weiden;
Drauf sie nach des Stromes Mitte ringen,
Und nun werfen sie weithin die Ruder,
Armverschlungen Vater, Sohn und Bruder,
Stimmen an, ihr Sterbelied zu singen.

Laut ununterbrochne Donner krachen,
Blitze flattern um den Todesnachen,
Ihn umtummeln Möwen sturmesmunter;
Und die Männer kommen fest entschlossen
Singend schon dem Falle zugeschossen,
Stürzen jetzt den Katarakt hinunter.

Der Raubschütz

Der alte Müller Jakob sitzt
Allein beim Glase Wein.
Schwarzmitternacht, nur manchmal blitzt
Ein Wetterstrahl herein.
Das Mühlrad saust, es braust der Wind;
Doch schlafen ruhig Weib und Kind.

Der Alte tut manch raschen Zug,
Er denkt an Zeit und Tod.
Wie draußen jagt des Sturmes Flug,
So jagen Lust und Not,
Die längst begrabnen, neu erwacht,
Ihm durch die Brust in dieser Nacht.

Die Tür geht auf, er fährt empor:
Wer kommt zu solcher Stund'?
Ein Waidmann mit dem Feuerrohr,
Mit seinem Stöberhund,
Hahnfeder, Gemsbart auf dem Hut,
Das grüne Wams befleckt mit Blut.

Der Müller starrt, zurückgebeugt,
Dem Jäger ins Gesicht,

Sein Haar entsetzt zu Berge fleugt,
Sein Blut zum Herzen kriecht:
Der Raubschütz ist's, der wilde Kurd',
Der jüngst im Wald erschossen wurd'.

Der finstre Jäger an die Wand
Auf Jakobs Büchse winkt;
Der preßt sein Glas in zager Hand,
Daß es zu Scherben springt;
Gehorchend nimmt er sein Gewehr
Und schleicht dem Grausen hinterher.

Sie streifen in den Wald hinaus,
Nach süßem Wildesraub;
Stets lauter wird der Winde Braus,
Der Pfade dürres Laub.
Der Jäger ruft voll heißer Gier:
«Komm, Bruder, jagen, jagen wir!»

Sie ziehn fort fort im finstern Wald
Durch Strupp und Strom gar frisch;
Das Wild schrickt auf, die Büchse knallt,
Der Stöbrer im Gebüsch
Rauscht mit arbeitendem Geruch*,
Der Jäger ruft: «Such, Hundel, such!»

---

* Schnüffeln

Doch an des Walds geheimstem Ort,
Auf seinem liebsten Stand,
Wo jüngst die Kugel ihn durchbohrt
Aus meuchlerischer Hand,
Da bleibt er stehn und donnert: «Schau!
Hier schoß er mich wie eine Sau!»

Es ächzt der Wald im Sturm verzagt,
Vom Monde jetzt erhellt;
Der kühn gewordne Müller fragt:
«Was ist's in jener Welt?»
Da murmelt trüben Angesichts
Der Jägersmann: «Es ist halt nichts!»

Julius Mosen
1803–1867

Hofers Tod

Zu Mantua in Banden
Der treue Hofer war,
In Mantua zum Tode
Führt ihn der Feinde Schar;
Es blutete der Brüder Herz,
Ganz Deutschland, ach! in Schmach und
Mit ihm das Land Tirol.   [Schmerz,

Die Hände auf dem Rücken
Andreas Hofer ging
Mit ruhig festen Schritten,
Ihm schien der Tod gering;
Der Tod, den er so manches Mal
Vom Iselberg geschickt ins Tal
Im heil'gen Land Tirol.

Doch als aus Kerkergittern
Im festen Mantua
Die treuen Waffenbrüder
Die Händ' er strecken sah,
Da rief er aus: «Gott sei mit euch,
Mit dem verratnen deutschen Reich
Und mit dem Land Tirol!»

Dem Tambour will der Wirbel
Nicht unterm Schlägel vor,
Als nun Andreas Hofer
Schritt durch das finstre Tor.
Andreas, noch in Banden frei,
Dort stand er fest auf der Bastei,
Der Mann vom Land Tirol.

Dort soll er niederknieen;
Er sprach: «Das tu' ich nit;
Will sterben, wie ich stehe,
Will sterben, wie ich stritt,
So wie ich steh' auf dieser Schanz'.
Es leb' mein guter Kaiser Franz,
Mit ihm sein Land Tirol!»

Und von der Hand die Binde
Nimmt ihm der Korporal;
Andreas Hofer betet
Allhier zum letzten Mal;
Dann ruft er: «Nun, so trefft mich recht!
Gebt Feuer! – Ach, wie schießt ihr schlecht!
Ade, mein Land Tirol!»

Eduard Mörike
1804–1875

Der Feuerreiter[40]

Sehet ihr am Fensterlein
Dort die rote Mütze wieder?
Nicht geheuer muß es sein,
Denn er geht schon auf und nieder.
Und auf einmal welch Gewühle
Bei der Brücke, nach dem Feld!
Horch! das Feuerglöcklein gellt:
  Hinterm Berg,
  Hinterm Berg
Brennt es in der Mühle!

Schaut! da sprengt er wütend schier
Durch das Tor, der Feuerreiter,
Auf dem rippendürren Tier
Als auf einer Feuerleiter!
Querfeldein! Durch Qualm und Schwül
Rennt er schon und ist am Ort!
Drüben schallt es fort und fort:
  Hinterm Berg,
  Hinterm Berg
Brennt es in der Mühle!

Der so oft den roten Hahn
Meilenweit von fern gerochen,
Mit des heil'gen Kreuzes Span
Freventlich die Glut besprochen –
Weh! dir grinst vom Dachgestühle
Dort der Feind im Höllenschein.
Gnade Gott der Seele dein!
  Hinterm Berg,
  Hinterm Berg
Rast er in der Mühle!

Keine Stunde hielt es an,
Bis die Mühle borst in Trümmer;
Doch den kecken Reitersmann
Sah man von der Stunde nimmer.
Volk und Wagen im Gewühle
Kehren heim von all dem Graus;
Auch das Glöcklein klinget aus:
  Hinterm Berg,
  Hinterm Berg
Brennt's! –

Nach der Zeit ein Müller fand
Ein Gerippe samt der Mützen
Aufrecht an der Kellerwand
Auf der beinern Mähre sitzen:

Feuerreiter, wie so kühle
Reitest du in deinem Grab!
Husch! da fällt's in Asche ab.
Ruhe wohl,
Ruhe wohl
Drunten in der Mühle!

Des Schloßküpers Geister zu Tübingen
Ballade, beim Weine zu singen

In 's alten Schloßwirts Garten,
Da klingt schon viele Jahr' kein Glas;
Kein Kegel fällt, keine Karten,
Wächst aber schön lang Gras.

Ich mutterseelalleine,
Setzt' mich an einen langen Tisch;
Der Schloßwirt regt die Beine,
Vom Roten bringt er frisch.

Und läßt sich zu mir nieder;
Von alten Zeiten red't man viel,
Man seufzet hin und wieder,
Der Schöpplein wird kein Ziel*.

Da nun der Tag gegangen,
Der Schloßwirt sagt kein Wörtlein mehr;
Neun Lichter tät' er langen,
Neun Stühle setzt er her.

---

* nimmt kein Ende

Als wie zum größten Feste
Auftischt er, daß die Tafel kracht:
Was kämen noch für Gäste?
Ist doch schier Mitternacht!

Der Narr, was kann er wollen?
Er macht sich an die Kugelbahn,
Läßt eine Kugel rollen,
Ein Höllenlärm geht an.

Es fahren gar behende
Acht Kegel hinterm Brett herauf,
Schrein: «Hagel und kein Ende!
Wer Teufel weckt uns auf?»

Und waren acht Studiosen,
Wohl aus der Zopf- und Puderzeit:
Rote Röcklein, kurze Hosen,
Und ganz scharmante Leut'.

Die sehen mit Ergetzen
Den edelen Karfunkelwein;
Gleich täten sie sich letzen
Und zechen und juchhein.

Den Wirt erbaut das wenig;
Er sprach: «Ihr Herren, wollt verzeihn:
Wo ist der Schoppenkönig?
Wann seid ihr denn zu neun?»

«Ach Küper, lieber Küper,
Wie machest uns das Herze schwer!
Wohl funfzig Jahr' und drüber
Begraben lieget er.

Gott hab' den Herren selig
Mit seiner roten Habichtsnas'!
Regierete so fröhlich,
Kam tags auf sieben Maß.

Einst tät' er uns bescheiden,
Sprach: ‹Männiglich kennt mein Gebot,
Den Gerstensaft zu meiden;
Man büßet's mit dem Tod.

Mit ein paar lausigen Dichtern
Traf man beim sauren Bier euch an,
Versteht sich, nudelnüchtern,
Wohl auf der Kugelbahn.

Kommt also her, ihr Lümmel!›
Er zog sein' Zauberstab herfür –
Wir stürzten wie vom Himmel –
Acht Kegel waren wir!

Jetzt ging es an ein Hudeln,
Ein' hölzern König man uns gab,
Doch schoß man nichts wie ‹Pudel›,
Da schafften sie uns ab.

Nun dauert es nicht lange,
So zieht das Burschenvolk einmal
Aufs Schloß mit wildem Sange
Zum König in den Saal:

‹Wir woll'n dich Lands verweisen,
So du nicht schwörest ab den Wein;
Bierkönig sollst du heißen!›
Er aber saget: ‹Nein;

Da habt ihr meine Krone!
An mir ist Hopfen und Malz verlorn.›
So stieg er von dem Throne
In seinem edlen Zorn.

Für Kummer und für Grämen
Der Herre wurde krank und alt,
Zerfiele wie ein Schemen
Und holt der Tod ihn bald.

Mit Purpur ward gezieret
Sein Leichnam als ein König groß;
Ein tief Gewölb' man führet
Zu Tübingen im Schloß.

Vier schwarze Edelknaben
Sein' Becher trugen vor der Bahr';
Der ist mit ihm begraben,
War doch von Golde gar.

Damals ward prophezeiet,
Wenn nur erst hundert Jahr' herum,
Da würde der Thron erneuet
Vom alten Königtum.

So müssen wir halt warten,
Bis daß die Zeit erfüllet was;
Und in des Schloßwirts Garten
Derweil wächst langes Gras.

Ach Küper, lieber Küper,
Jetzt geige du uns wieder heim!
Die Nacht ist schier vorüber:
Acht Kegel müssen wir sein.»

Der Schloßwirt nimmt die Geigen
Und streicht ein Deo Gloria,
Sie tanzen einen Reigen –
Und keiner ist mehr da.

Die traurige Krönung

Es war ein König Milesint[41],
Von dem will ich euch sagen:
Der meuchelte sein Bruderskind,
Wollte selbst die Krone tragen.
Die Krönung ward mit Prangen
Auf Liffey-Schloß begangen.
O Irland! Irland! warest du so blind?

Der König sitzt um Mitternacht
Im leeren Marmorsaale,
Sieht irr in all die neue Pracht,
Wie trunken von dem Mahle;
Er spricht zu seinem Sohne:
«Noch einmal bring die Krone!
Doch schau, wer hat die Pforten aufgemach

Da kommt ein seltsam Totenspiel,
Ein Zug mit leisen Tritten,
Vermummte Gäste groß und viel,
Eine Krone schwankt inmitten;
Es drängt sich durch die Pforte
Mit Flüstern ohne Worte;
Dem Könige, dem wird so geisterschwül.

Und aus der schwarzen Menge blickt
Ein Kind mit frischer Wunde,
Es lächelt sterbensweh und nickt,
Es macht im Saal die Runde,
Es trippelt zu dem Throne,
Es reichet eine Krone
Dem Könige, des Herze tief erschrickt.

Darauf der Zug von dannen strich,
Von Morgenluft berauschet,
Die Kerzen flackern wunderlich,
Der Mond am Fenster lauschet;
Der Sohn mit Angst und Schweigen
Zum Vater tät' sich neigen –
Er neiget über eine Leiche sich.

Der Schatten

Von Dienern wimmelt's früh vor Tag,
Von Lichtern in des Grafen Schloß.
Die Reiter warten sein am Tor,
Es wiehert morgendlich sein Roß.

Doch er bei seiner Frauen steht
Alleine noch im hohen Saal:
Mit Augen gramvoll prüft er sie,
Er spricht sie an zum letzten Mal:

«Wirst du, derweil ich ferne bin
Bei des Erlösers Grab, o Weib,
In Züchten leben und getreu
Mir sparen deinen jungen Leib?

Wirst du verschließen Tür und Tor
Dem Manne, der uns lang entzweit,
Wirst meines Hauses Ehre sein,
Wie du nicht warest jederzeit?»

Sie nickt; da spricht er: «Schwöre denn!»
Und zögernd hebt sie auf die Hand.
Da sieht er bei der Lampe Schein
Des Weibes Schatten an der Wand.

Ein Schauer ihn befällt – er sinnt,
Er seufzt und wendet sich zumal.
Er winkt ihr einen Scheidegruß
Und lässet sie allein im Saal.

Elf Tage war er auf der Fahrt,
Ritt krank ins welsche Land hinein:
Frau Hilde gab den Tod ihm mit
In einem giftigen Becher Wein.

Es liegt eine Herberg' an der Straß'
Im wilden Tal, heißt Mutintal,
Da fiel er hin in Todesnot
Und seine Seele Gott befahl.

Dieselbe Nacht Frau Hilde lauscht,
Frau Hilde luget vom Altan:
Nach ihrem Buhlen schaut sie aus,
Das Pförtlein war ihm aufgetan.

Es tut einen Schlag am vordern Tor
Und aber einen Schlag, daß es dröhnt und hallt:
Im Burghof mitten steht der Graf –
Vom Turm der Wächter kennt ihn bald.

Und Vogt und Zofen auf dem Gang
Den toten Herrn mit Grausen sehn,
Sehn ihn die Stiegen stracks herauf
Nach seiner Frauen Kammer gehn.

Man hört sie schreien und stürzen hin,
Und eine jähe Stille war.
Das Gesinde, das flieht, auf die Zinnen es flieh
Da scheinen am Himmel die Sterne so klar.

Und als vergangen war die Nacht
Und stand am Wald das Morgenrot,
Sie fanden das Weib in dem Gemach
Am Bettfuß unten liegen tot.

Und als sie treten in den Saal,
O Wunder! steht an weißer Wand
Frau Hildes Schatten, hebet steif
Drei Finger an der rechten Hand.

Und da man ihren Leib begrub,
Der Schatten blieb am selben Ort
Und blieb, bis daß die Burg zerfiel;
Wohl stünd' er sonst noch heute dort.

Ferdinand Freiligrath
1810–1876

Die seidne Schnur

I

Im Harem weilt der Großwesir;
Mit Dolch und Flinte vor der Tür
Steht Wache haltend der Arnaut;
Auf eines Tigers bunter Haut

Liegt der Gebieter. – Schleierlos,
Kein Gurt umfängt den vollen Schoß;
Aus Purpurfalten glänzt wie Schnee
Ihr Fuß mit ringgeschmückter Zeh';

Entfesselt rollt ihr Haupthaar hin –
Ruht schlummernd die Zirkassierin
An seiner Brust! Vom Kaukasus
Der Demant glänzt am Bosporus.

Sein Auge glüht; sein Barthaar wallt
Auf die wollüstige Gestalt.
Sie träumt; sie lächelt; der Email
Der Zähne glänzt! – «Birgt dein Serail,

Soliman, solch ein Weib?» – Er sinkt
Zu ihr hinab, brünstig umschlingt
Er sie, berauscht von ihrem Hauch,
Von Moschusduft und Ambrarauch.

II

«Ein Reitertrupp! Der Aga der
Eunuchen, Jussuf!» – «Bringt ihn her!»
Jussuf, der Neger aus Dar Fur,
Reicht grinsend ihm – die seidne Schnur[42]

III

Wie die Oase der Samum*
Versengt, gleichwie das Opium
Betäubt, wie gift'gen Hauchs die Pest
Hinwirft und ihren Raub nicht läßt:

So treffen des Verschnittnen Worte
Den Großwesir der Hohen Pforte.
Sein Mund wird blau, sein Antlitz fahl,

In Stücke reißt er seinen Schal.

---

* Wüstenwind

«Daß dich des Blitzes Glut versehrt,
O Maulbeerbaum, der du genährt
Den Wurm, der diese Seide spann!
Verdorren soll die Hand dem Mann,

Der knechtisch diese Schnur gedreht,
Die – von Roßschweifen einst umweht!
An Leilas – meine Zeit ist um!
Das Schicksal will es! – Opium!

Ha, daß mich kein Rhodiser Spieß
Im Handgemenge jäh durchstieß!
Ha, daß mich nicht im goldnen Mörser
Zerstampfte der siegtrunkne Perser!

Ich ward verschont! Der Strang von Seide
War mir bestimmt!» – Er sinnt; der Scheide
Nimmt er den Dolch; hin fliegt die Schnur
Auf des Gemaches Teppichflur.

Leilas Gelock, lang, wallenden Falls,
Schlingt er sich um den sehn'gen Hals;
Fest knüpft er es; sie schläft; das Erz
Stößt er ihr abgewandt durchs Herz.

Sie zuckt empor; sie will entfliehn;
Die Haare – sie erdrosselt ihn!
Um seinen Mund spielt gräßlich Lächeln,
Dumpf durchs Gemach schallt beider
                     Röcheln.

Georg Herwegh
1817–1875

Parabel

Erlaubt mir, daß ich mal berichte
Euch eine alberne Geschichte:
Sie kommt mir eben in den Sinn,
Geduld ist deutsch, drum nehmt sie hin.

War eine brave, brave Frau,
Die nahm's im Dienste wohl genau,
Und macht', so brav sie auch gewesen,
Doch niemals vieles Federlesen.

Die Frau hatt' einen muntern Hahn,
Der kräht' ihr stets den Morgen an,
Und war nach seiner Hahn-Natur
Für sie die allerbeste Uhr.

Sobald den Tag er angesagt,
Da weckt' die Frau die faule Magd,
Was unsre Magd gar schwer verdroß,
Daß sie im Grimme einst beschloß,

Dem Vogel zu stutzen seine Schwingen
Und, meld' ich's kurz, ihn umzubringen.
Es war gedacht, es war getan,
Die Götter bekamen einen Hahn.

Was aber hat die Magd gewonnen?
Die sonst geweckt ward mit der Sonnen,
Ward nun geweckt um Mitternacht,
Nachdem den Hahn sie umgebracht.

«Ach!» sprach die Magd, die schwer
                              Betörte,
«Wenn ich den Hahn doch krähen hörte!
Sein Krähen hat so schön geklungen,
Als hätt' eine Nachtigall gesungen.»

«Und nun der Witz? Wir bitten dich!»
Ihr kennt die Frau so gut wie ich;
Sie ist die Schönste weit und breit,
Ihr Anblick die volle Seligkeit.

Ihr kennt wohl auch des Nachbars Hahn,
Dem ihr soviel zuleid getan;
Und wenn ihr mich nach dem Dritten fragt:
«Du, deutsches Volk, du bist die Magd!»

Doch wenn ihr den Hahn auch mordet,
                              ihr Sklaven,
So denkt darum nicht länger zu schlafen,
Erst weckt' euch die Frau nach dem
                              Hahnenschrei,
Nun ist's mit dem Schlummer auf ewig vorbei.

Die Freiheit kommt wie ein Dieb in der Nacht
Und ruft euch zu: «Erwacht! erwacht!»

Der sterbende Republikaner

Im Zimmer, klein und enge,
Stirbt Hungertods ein Mann;
Und draußen tobt die Menge:
«Heil Philipp Orleans[43]!»

Wo sind, die sich gesellten
Dem Sterbenden in der Not?
Wer reicht dem Julihelden
Das letzte Stückchen Brot?

«Ein Stückchen Brot, ihr Herren,
Und keinen Königsthron!
Ein Stückchen Brot, ihr Herren,
Und keine Million!

Kam es euch aus dem Sinne,
Wie ich einst König war?
Hielt *diese* Hand nicht inne,
Die Krone lief Gefahr!

Ihr wäret drum betrogen,
Hätt' sie mir gut gedeucht!
Ich hab' sie wohl gewogen,
Ich fand sie viel zu leicht!

Ich will nicht eure Kronen,
Ich brauch' nur wenig Sous
Von euren Millionen
Zu einer Leichentruh'!

Ich focht für eure Flaggen,
Und wär' euch nun so fremd?
Ein Stückchen Brot! Ein Laken
Zu meinem Sterbehemd!»

Und lauter tobt die Menge:
«Heil Philipp Orleans!»
Im Zimmer, klein und enge,
Stirbt Hungertods der Mann.

«Leis schlägst du Herz zum Ende,
Und niemand schaut es an;
Kein Mensch hat an die Wände
Mir nur ein Kreuz getan!

Kein Gott! kein Brot! Wie wenig
Bracht' mir der blut'ge Sieg!
Es lebe – wer? der König?
Nein doch – die Republik!»

Theodor Storm
1817–1888

Geschwisterblut

I

Sie saßen sich genüber bang
Und sahen sich an in Schmerzen;
O lägen sie in tiefster Gruft
Und lägen Herz an Herzen!

Sie sprach: «Daß wir beisammen sind,
Mein Bruder, will nicht taugen!»
Er sah ihr in die Augen tief:
«O süße Schwesteraugen!»

Sie faßte flehend seine Hand
Und rief: «O denk der Sünde!»
Er sprach: «O süßes Schwesterblut,
Was läufst du so geschwinde!»

Er zog die schmalen Fingerlein
An seinen Mund zur Stelle;
Sie rief: «O hilf mir, Herre Christ,
Er zieht mich nach der Hölle!»

Der Bruder hielt ihr zu den Mund;
Er rief nach seinen Knappen.
Nun rüsteten sie Reisezeug,
Nun zäumten sie die Rappen.

Er sprach: «Daß ich dein Bruder sei,
Nicht länger will ich's tragen;
Nicht länger will ich drum im Grab
Vater und Mutter verklagen.

Zu lösen vermag der Papst Urban[44],
Er mag uns lösen und binden;
Und säß' er an Sankt Peters Faust,
Den Brautring muß ich finden.»

Er ritt dahin; die Träne rann
Von ihrem Angesichte;
Der Stuhl, wo er gesessen, stand
Im Abendsonnenlichte.

Sie stieg hinab durch Hof und Hall'
Zu der Kapelle Stufen:
«Weh mir, ich hör' im Grabe tief
Vater und Mutter rufen!»

Sie stieg hinauf ins Kämmerlein;
Das stand in Dämmernissen.
Ach, nächstens schlug die Nachtigall;
Da saß sie wach im Kissen.

Da fuhr ihr Herz dem Liebsten nach
Allüberall auf Erden;
Sie streckte weit die Arme aus:
«Unselig muß ich werden!»

II

Schon war mit seinem Rosenkranz
Der Sommer fortgezogen;
Es hatte sich die Nachtigall
In weiter Welt verflogen.

Im Erker saß ein blasses Weib
Und schaute auf die Fliesen;
So stille war's: kein Tritt erscholl,
Kein Hornruf über die Wiesen.

Der Abendschein alleine ging
Vergoldend durch die Halle;
Da öffneten die Tore sich
Geräuschlos, ohne Schalle.

Da stand an seiner Schwelle Rand
Ein Mann in Harm gebrochen;
Der sah sie toten Auges an,
Kein Wort hat er gesprochen.

Es lag auf ihren Lidern schwer,
Sie schlug sie auf mit Mühen;
Sie sprang empor, sie schrie so laut,
Wie noch kein Herz geschrien.

Doch als er sprach: «Es reicht kein Ring
Um Schwester- und Bruderhände!»,
Um stürzte sie den Marmortisch
Und schritt an Saales Ende.

Sie warf in seine Arme sich;
Doch war sie bleich zum Sterben.
Er sprach: «So ist die Stunde da,
Daß beide wir verderben.»

Die Schwester von dem Nacken sein
Löste die zarten Hände:
«Wir wollen zu Vater und Mutter gehn;
Da hat das Leid ein Ende.»

Der Bau der Marienkirche zu Lübeck

Im alten heiligen Lübeck
Ward eine Kirche gebaut
Zu Ehren der Jungfrau Maria,
Der hohen Himmelsbraut.

Doch als man den Bau begonnen,
Da hatt' es der Teufel gesehn;
Der glaubte, an selbiger Stelle
Ein Weinhaus würde entstehn.

Draus hat er manch arme Seele
Sich abzuholen gedacht,
Und drum das Werk gefördert
Ohn' Rasten Tag und Nacht.

Die Maurer und der Teufel,
Die haben zusammen gebaut;
Doch hat ihn bei der Arbeit
Kein menschlich Aug' geschaut.

Drum, wie sich die Kellen rührten,
Es mochte keiner verstehn,
Daß in so kurzen Tagen
So großes Werk geschehn.

Und als sich die Fenster wölben,
Der Teufel grinset und lacht,
Daß man in einer Schenke
So Tausende Scheiben macht.

Doch als sich die Bogen wölben,
Da hat es der Teufel durchschaut,
Daß man zu Gottes Ehren
Eine Kirche hier erbaut.

Da riß er in seinem Grimme
Einen Fels von Bergeswand
Und schwingt sich hoch in Lüften,
Von männiglich erkannt.

Schon holt er aus zum Wurfe
Aufs heilige Prachtgebäu' –
Da tritt ein Maurergeselle
Hervor getrost und frei:

«Herr Teufel, wollt' nichts Dummes
Begehen in der Hast!
Man hat ja sonst vernommen,
Daß Ihr Euch handeln laßt!»

«So bauet», schrie der Teufel,
«Ein Weinhaus nebenan,
Daß ich mein Werken und Mühen
Nicht schier umsonst getan.»

Und als sie's ihm gelobet,
So schleudert er den Stein,
Auf daß sie dran gedächten,
Hart in den Grund hinein.

Drauf, als der Teufel entfahren,
Ward manches liebe Jahr
Gebaut noch, bis die Kirche
Der Jungfrau fertig war.

Dann ist dem Teufel zu Willen
Der Ratsweinkeller erbaut,
Wie man ihn noch heutzutage
Dicht neben der Kirche schaut.

So stehen Kirch' und Keller
In traulichem Verein;
Die frommen Herrn zu Lübeck,
Die gehen aus und ein.

Sie beten wohl da droben,
Da drunten trinken sie,
Und für des Himmels Gaben
Da droben danken sie.

Und trinken sie da drunten,
Sie denken wohl dabei:
«Dem selbst der Teufel dienet,
Wer fröhlich, fromm und frei.»

Gottfried Keller
1819–1880

Der Taugenichts

Die ersten Veilchen waren schon
Erwacht im stillen Tal;
Ein Bettelpack stellt' seinen Thron
Ins Feld zum ersten Mal.
Der Alte auf dem Rücken lag,
Das Weib, das wusch am See;
Bestaubt und unrein schmolz im Hag
Das letzte Häuflein Schnee.

Der Vollmond warf den Silberschein
Dem Bettler in die Hand,
Bestreut' der Frau mit Edelstein
Die Lumpen, die sie wand;
Ein linder West blies in die Glut
Von einem Dorngeflecht,
Drauf kocht' in Bettelmannes Hut
Ein sündengrauer Hecht.

Da kam der kleine Betteljung',
Vor Hunger schwach und matt,
Doch glühend in Begeisterung
Vom Streifen durch die Stadt,

Hielt eine Hyazinthe dar
In dunkelblauer Luft;
Dicht drängte sich der Kelchlein Schar,
Und selig war der Duft.

Der Vater rief: «Wohl hast du mir
Viel Pfennige gebracht?»
Der Knabe rief: «O sehet hier
Der Blume Zauberpracht!
Ich schlich zum goldnen Gittertor,
So oft ich ging, zurück,
Bedacht nur, aus dem Wunderflor
Zu stehlen mir dies Glück!

O sehet nur, ich werde toll,
Die Glöcklein alle an!
Ihr Duft, so fremd und wundervoll,
Hat es mir angetan!
O schlaget nicht mich armen Wicht,
Laßt Euren Stecken ruhn!
Ich will ja nichts, mich hungert nicht,
Ich will's nicht wieder tun!»

«O wehe mir geschlagnem Tropf!»
Brach nun der Alte aus,
«Mein Kind kommt mit verrücktem Kopf
Anstatt mit Brot nach Haus!

Du Taugenichts, du Tagedieb
Und deiner Eltern Schmach!»
Und rüstig langt' er Hieb auf Hieb
Dem armen Jungen nach.

Im Zorn fraß er den Hecht, noch eh'
Der gar gesotten war,
Schmiß weit die Gräte in den See
Und stülpt' den Filz aufs Haar.
Die Mutter schmält' mit sanftem Wort
Den mißgeratnen Sohn,
Der warf die Blume zitternd fort
Und hinkte still davon.

Es perlte seiner Tränen Fluß,
Er legte sich ins Gras
Und zog aus seinem wunden Fuß
Ein Stücklein scharfes Glas.
Der Gott der Taugenichtse rief
Der guten Nachtigall,
Daß sie dem Kind ein Liedchen pfiff
Zum Schlaf mit süßem Schall.

Jung gewohnt, alt getan

Die Schenke dröhnt, und an dem langen Tisch
Ragt Kopf an Kopf verkommener Gesellen;
Man pfeift, man lacht; Geschrei, Fluch
                              und Gezisch
Ertönte an des Trankes trüben Wellen.

In dieser Wüste glänzt' ein weißes Brot;
Sah man es an, so ward dem Herzen besser.
Sie drehten eifrig draus ein schwarzes Schrot
Und wischten dran die blinden Schenkemesser.

Doch einem, der da mit den andern schrie,
Fiel untern Tisch des Brots ein kleiner Bissen;
Schnell fuhr er nieder, wo sich Knie an Knie
Gebogen drängte in den Finsternissen.

Dort sucht er selbstvergessen nach dem Brot;
Doch da begann's rings um ihn zu rumoren,
Sie brachten mit den Füßen ihn in Not
Und schrien erbost: «Was, Kerl! hast du verloren»

Errötend taucht er aus dem dunklen Graus
Und barg es in des Tuches grauen Falten.
Er sann und sah sein ehrlich Vaterhaus
Und einer treuen Mutter häuslich Walten.

Nach Jahren aber saß derselbe Mann
Bei Herrn und Damen an der Tafelrunde,
Wo Sonnenlicht das Silber überspann
Und in gewählten Reden floh die Stunde.

Auch hier lag Brot, weiß wie der Wirtin Hand,
Wohlschmeckend in dem Dufte guter Sitten;
Er selber hielt's nun fest und mit Verstand,
Doch einem Fräulein war ein Stück entglitten.

«O lassen Sie es liegen!» sagt die schnell;
Zu spät, schon ist er untern Tisch gefahren
Und späht und sucht, der närrische Gesell,
Wo kleine seidne Füßchen stehn zu Paaren.

Die Herren lächeln, und die Damen ziehn
Die Sessel scheu zurück vor dem Beginnen;
Er taucht empor und legt das Brötchen hin,
Errötend hin auf das damastne Linnen.

«Zu artig, Herr!» dankt' ihm das schöne Kind,
Indem sie spöttisch lächelnd sich verneigte;
Er aber sagte höflich und gelind,
Indem er sich gar sittsam tief verbeugte:

«Wohl einer Frau galt meine Artigkeit,
Doch Ihnen diesmal nicht, verehrte Dame!
Es galt der Mutter, die vor langer Zeit
Entschlafen ist in Leid und bitterm Grame.»

Ballade vom jungen Mörder Haube

Unheilschwanger sind die Lüfte,
Und es naht ein graues Weh;
Denn es sproßten Macbeths Taten
In der Unschuld weißem Schnee!

Gab es wohl ein sanftres Wesen,
Als ein Schneiderlehrling bot?
Einer ist jedoch erstanden,
Der schlug seinen Meister tot.

Seinen großen, starken Meister,
Der im Bette friedlich schlief;
Als der Morgen graute, hieb er
In die grauen Locken tief.

Weckte mordend so den Meister,
Der schlaftrunken mit ihm rang;
Und mit dem graunvoll Erwachten
Rang der Knirps, bis es gelang,

Bis der Stärkre sank zu Boden.
Dieses tat der kleine Held,
Und der Kobold suchte sogleich
Nach des Toten Gut und Geld.

Blutbedeckt von Kopf zu Füßen,
Triefend auch vom eignen Blut,
Späht der Wicht nun unverweilet
Nach des Toten teurem Gut.

All die friedlichen Gelasse,
Laden, Schränke malt er rot
Mit der Hand, dem roten Pinsel,
Bis dem Aug' der Raub sich bot.

Schließt behutsam alle Türen,
Wäscht sich von der Tünche rein,
Wechselt das Gewand und schnüret
Endlich sich das Bündelein.

Und dasselbe unterm Arme,
Tritt er hastig aus dem Haus,
Atmet keck die Morgenlüfte,
Schaut nach allen Winden aus.

Freiheit hat er nun und Schätze,
Und der junge Tag bricht an;
Eben hat ein Zuckerbäcker
Seinen Laden aufgetan.

Und wie einer, der besitzet
Und befiehlt, tritt jener ein,
Läßt begehrlich seine Blicke
Schweifen über Glas und Schrein.

Läßt das reiche Füllhorn stürzen,
Marzipan rollt und Tragant*,
Füllet schwelgrisch alle Taschen
Mit dem bunten Allerhand.

Spielet mit den süßen Dingern
Jetzo auf der Eisenbahn,
Welche hin nach Hamburg führet
Und zum großen Meer hinan.

Blickt neugierig wie ein Wiesel
Aus dem Wagen in das Feld,
Ahnet hinter jedem Busche
Des Kolumbus neue Welt.

Doch die Kunde seiner Untat
Ist in Hamburg längst bekannt
Durch den Telegraph; am Bahnhof
Harrt Senator und Sergeant.

Harrt der ehrwürd'ge Senator,
Welcher Polizeichef ist,
Und die menschenkund'gen Worte
Nunmehr ernst und tief ermißt.

Sieh, da schießt der Eisendrache
Zischend, dampfumhüllt heran,

---

* Süßigkeit

Einen dunklen Menschenknäuel
Speit er brüllend auf den Plan.

Aus dem Knäuel spinnt behende
Sich der kleine Mann heraus;
Mit dem Bündelchen im Arme
Sieht er ganz gewöhnlich aus.

Eben schmilzt ihm auf der Zunge
Ein Bonbon von Gerstensaft.
«Söhnchen mein, wo ist dein Meister?»
Tönt es, und sein Knie erschlafft.

Jenes sprach mit sanfter Stimme
Der Senator. «O mein Gott!
Wißt Ihr denn, daß er erschlagen?
Ja, den Meister schlug ich tot!»

Weil ihm jede Einsicht mangelt
In den blitzeschwangern Draht*,
Glaubt er fest, daß Gott der Rächer
Selbst hier eingegriffen hat.

«Hat dein Meister dich beleidigt
Oder Übles dir getan?»
«Nein», sagt er und starrt zum Himmel
Und starrt rings die Menschen an.

---

* Telegraph

Offnen Mundes, staunend läßt er
Fesseln seine Mörderhand.
Seltsam war es, als in dieser
Man ein Herz von Zucker fand.

Has von Überlingen

Es war der Has von Überlingen[45],
Der scheut' den Märzen wie den Tod;
Denn in die Glieder fühlt' er dringen
Mit ihm des Alters leise Not.

Wann nun die Morgenlüfte wehten
Nach letzten Hornungs Mitternacht,
Sah man ihn vor die Türe treten
Wie einen Krieger auf die Wacht.

Den Krebs geschnallt auf Brust und Rücken,
Auf grauem Kopf den Eisenhut,
Umschient die Glieder ohne Lücken:
Das schien ihm für den Märzen gut!

Den langen Degen an der Seite,
Die Halmbart in beschuhter Hand,
Erwartet er den Feind zum Streite,
Bis sich erhellten See und Land.

«Hei, falscher Mars! willst du es wagen?
Dir sag' ich ab und biete dir,
Auf Hieb und Stoß gerecht zu schlagen
Ums teure Leben, jetzt und hier!

Willst du an Herz und Mark mir greifen,
Du Tückebold, so komm heran!
Ich lehre dich ein Liedlein pfeifen,
Du findest einen Martismann!»

Fuhr dann dem Alten rauh entgegen
Ein Staubgewölk im Sonnenschein,
Ein Schauer auch von Schnee und Regen,
So hieb und stach er mächtig drein.

Denn in dem Dunste sah er drohen
Den Gegner mit gezücktem Speer;
Drum schlug er, bis der Spuk entflohen,
Und blickte siegreich um sich her.

Ein Trunk von goldnem Rebenblute
Erquickt ihn nach bestandnem Streit,
Und er genoß mit frohem Mute
Des Frühlings neue Herrlichkeit.

So ging es denn nach seinem Willen;
Er schlug den Märzen Jahr um Jahr,
Bis einst am ersten Tag Aprillen
Sein tapfres Herz gebrochen war.

Aroleid

Im Wallis liegt ein stiller Ort,
Geheißen Aroleid;
Es seufzt ein Gram im Namen fort
Seit lang entschwundner Zeit.

Ein Berghirt hing in Todsgefahr
Am steilsten Firnenrand,
Ihn stieß hinunter dort der Aar,
Wo keiner mehr ihn fand.

Auf grüner Matte saß sein Weib;
Das Kind ins Gras gelegt,
Saß sie und schaut' mit starrem Leib
Hinüber, unbewegt,

Hinüber, wo im Dämmerblau
Der Berg zur Tiefe schwand
Und mit des Gipfels Silberau
So still am Himmel stand.

Voll bittrer Sehnsucht sprang sie auf
Und ging im Mattengrün
Mit schwankem Schritt und irrem Lauf
Und heißem Augenglühn.

Da schreit ein Kind, ein Flügel saust
Wohl über ihrem Haupt –
Mit ihrem Kind zur Höhe braust
Der Aar, der es geraubt!

Noch sieht das Wickelband sie wehn
In der kristallnen Luft,
Dann sieht sie's wie ein Pünktlein stehn
Imferneblauen Duft,

Dann nichts mehr, nie, solang sie lebt! –
Sie nahm kein Trauerkleid;
Doch von dem Leid, das dort noch webt,
Der Ort heißt Aroleid.

Theodor Fontane
1819–1898

Barbara Allen

Es war im Herbst, im bunten Herbst,
Wenn die rotgelben Blätter fallen,
Da wurde John Graham vor Liebe krank,
Vor Liebe zu Barbara Allen.

Seine Läufer liefen hinab in die Stadt
Und suchten, bis sie gefunden:
«Ach, unser Herr ist krank nach dir,
Komm, Lady, und mach ihn gesunden.»

Die Lady schritt zum Schloß hinan,
Schritt über die marmornen Stufen,
Sie trat ans Bett, sie sah ihn an:
«John Graham, du ließest mich rufen.»

«Ich ließ dich rufen, ich bin im Herbst,
Und die rotgelben Blätter fallen –
Hast du kein letztes Wort für mich?
Ich sterbe, Barbara Allen.»

«John Graham, ich hab' ein letztes Wort,
Du warst mein all und eines;
Du teiltest Pfänder und Bänder aus,
Mir aber gönntest du keines.

John Graham, und ob du mich lieben magst
Ich weiß, ich hatte dich lieber,
Ich sah nach dir, du lachtest mich an
Und gingest lachend vorüber.

Wir haben gewechselt, ich und du,
Die Sprossen der Liebesleiter,
Du bist nun unten, du hast es gewollt,
Ich aber bin oben und heiter.»

Sie ging zurück. Eine Meil' oder zwei,
Da hörte sie Glocken schallen;
Sie sprach: «Die Glocken klingen für ihn,
Für ihn und für – Barbara Allen.

Liebe Mutter, mach ein Bett für mich,
Unter Weiden und Eschen geborgen;
John Graham ist heute gestorben um mich,
Und ich sterbe um ihn morgen.»

Archibald Douglas

«Ich hab' es getragen sieben Jahr',
Und ich kann es tragen nicht mehr.
Wo immer die Welt am schönsten war,
Da war sie öd und leer.

Ich will hintreten vor sein Gesicht
In dieser Knechtsgestalt,
Er kann meine Bitte versagen nicht,
Ich bin ja worden alt.

Und trüg' er noch den alten Groll,
Frisch wie am ersten Tag,
So komme, was da kommen soll,
Und komme, was da mag.»

Graf Douglas[46] spricht's. Am Weg ein Stein
Lud ihn zu harter Ruh',
Er sah in Wald und Feld hinein,
Die Augen fielen ihm zu.

Er trug einen Harnisch, rostig und schwer,
Darüber ein Pilgerkleid.
Da horch! Vom Waldrand scholl es her
Wie von Hörnern und Jagdgeleit.

Und Kies und Staub aufwirbelte dicht,
Her jagte Meut' und Mann,
Und ehe der Graf sich aufgericht't,
Waren Roß und Reiter heran.

König Jakob[47] saß auf hohem Roß,
Graf Douglas grüßte tief;
Dem König das Blut in die Wange schoß,
Der Douglas aber rief:

«König Jakob, schaue mich gnädig an
Und höre mich in Geduld,
Was meine Brüder dir angetan,
Es war nicht meine Schuld.

Denk nicht an den alten Douglasneid,
Der trotzig dich bekriegt,
Denk lieber an deine Kinderzeit,
Wo ich dich auf den Knien gewiegt.

Denk lieber zurück an Stirling-Schloß[48],
Wo ich Spielzeug dir geschnitzt,
Dich gehoben auf deines Vaters Roß
Und Pfeile dir zugespitzt.

Denk lieber zurück an Linlithgow[49],
An den See und den Vogelherd,
Wo ich dich fischen und jagen froh
Und schwimmen und springen gelehrt.

O denk an alles, was einsten war,
Und sänftige deinen Sinn –
Ich hab' es gebüßet sieben Jahr',
Daß ich ein Douglas bin.»

«Ich seh' dich nicht, Graf Archibald,
Ich hör' deine Stimme nicht,
Mir ist, als ob ein Rauschen im Wald
Von alten Zeiten spricht.

Mir klingt das Rauschen süß und traut,
Ich lausch' ihm immer noch,
Dazwischen aber klingt es laut:
‹Er ist ein Douglas doch.›

Ich seh' dich nicht, ich höre dich nicht,
Das ist alles, was ich kann –
Ein Douglas vor meinem Angesicht
Wär' ein verlorener Mann.»

König Jakob gab seinem Roß den Sporn,
Bergan ging jetzt sein Ritt,
Graf Douglas faßte den Zügel vorn
Und hielt mit dem Könige Schritt.

Der Weg war steil, und die Sonne stach,
Und sein Panzerhemd war schwer,
Doch ob er schier zusammenbrach,
Er lief doch nebenher.

«König Jakob, ich war dein Seneschall,
Ich will es nicht fürder sein,
Ich will nur warten dein Roß im Stall
Und ihm schütten die Körner ein.

Ich will ihm selber machen die Streu
Und es tränken mit eigner Hand,
Nur laß mich atmen wieder aufs neu
Die Luft im Vaterland!

Und willst du nicht, so hab einen Mut,
Und ich will es danken dir,
Und zieh dein Schwert und triff mich gut
Und laß mich sterben hier.»

König Jakob sprang herab vom Pferd,
Hell leuchtete sein Gesicht,
Aus der Scheide zog er sein breites Schwert
Aber fallen ließ er es nicht.

«Nimm's hin, nimm's hin und trag es neu
Und bewache mir meine Ruh'!
Der ist in tiefster Seele treu,
Wer die Heimat liebt wie du.

Zu Roß, wir reiten nach Linlithgow,
Und du reitest an meiner Seit'!
Da wollen wir fischen und jagen froh
Als wie in alter Zeit.»

Die Brück' am Tay[50]

(28. Dezember 1879)

«When shall we three meet again.»
Macbeth

«Wann treffen wir drei wieder zusamm'?»
«Um die siebente Stund', am Brückendamm.»
«Am Mittelpfeiler.»
                    «Ich lösche die Flamm'.»
«Ich mit.»
                    «Ich komme von Norden her.»
«Und ich von Süden.»
                    «Und ich vom Meer.»
«Hei, das gibt einen Ringelreihn,
Und die Brücke muß in den Grund hinein.»

«Und der Zug, der in die Brücke tritt
Um die siebente Stund'?»
                    «Ei, der muß mit.»
«Muß mit.»
        «Tand, Tand,
Ist das Gebilde von Menschenhand!»

Auf der *Norder*seite, das Brückenhaus –
Alle Fenster sehen nach Süden aus,
Und die Brücknersleut' ohne Rast und Ruh
Und in Bangen sehen nach Süden zu,
Sehen und warten, ob nicht ein Licht
Übers Wasser hin «Ich komme» spricht,
«Ich komme, trotz Nacht und Sturmesflug,
Ich, der Edinburger Zug.»

Und der Brückner jetzt: «Ich seh' einen Schein
Am anderen Ufer. Das muß er sein.
Nun, Mutter, weg mit dem bangen Traum,
Unser Johnie kommt und will seinen Baum,
Und was noch am Baume von Lichtern ist,
Zünd alles an wie zum Heiligen Christ,
Der will heuer *zweimal* mit uns sein –
Und in elf Minuten ist er herein.»

Und es war der Zug. Am *Süder*turm
Keucht er vorbei jetzt gegen den Sturm,
Und Johnie spricht: «Die Brücke noch!
Aber was tut es, wir zwingen es doch.
Ein fester Kessel, ein doppelter Dampf,
Die bleiben Sieger in solchem Kampf.
Und wie's auch rast und ringt und rennt,
Wir kriegen es unter: das Element.»

Und unser Stolz ist unsre Brück';
Ich lache, denk' ich an früher zurück,
An all den Jammer und all die Not
Mit dem elend alten Schifferboot;
Wie manche liebe Christfestnacht
Hab' ich im Fährhaus zugebracht
Und sah unsrer Fenster lichten Schein
Und zählte und konnte nicht drüben sein.»

Auf der Norderseite, das Brückenhaus –
Alle Fenster sehen nach Süden aus,
Und die Brücknersleut' ohne Rast und Ruh
Und in Bangen sehen nach Süden zu;
Denn wütender wurde der Winde Spiel,
Und jetzt, als ob Feuer vom Himmel fiel',
Erglüht es in niederschießender Pracht
Überm Wasser unten... Und wieder ist Nacht.

«Wann treffen wir drei wieder zusamm'?»
«Um Mitternacht, am Bergeskamm.»
«Auf dem hohen Moor, am Erlenstamm.»
«Ich komme.»
            «Ich mit.»
                        «Ich nenn' euch die Zahl.»
«Und ich die Namen.»
                        «Und ich die Qual.»

«Hei!
Wie Splitter brach das Gebälk entzwei.»
«Tand, Tand,
Ist das Gebilde von Menschenhand!»

Conrad Ferdinand Meyer
1825–1888

Conquistadores

Zwei edle Spanier halten Wacht,
Und einer spricht zum andern:
«Señor, mir deucht, der Teufel lacht,
Wie wir ins Leere wandern!
Das Segel bauscht, es rauscht der Kiel,
Noch keines Strandes Boten –
Die Hölle treibt mit uns ihr Spiel,
Wir fahren zu den Toten!

Wer einem Genuesen traut,
Hat den Verstand verloren!
Die Klugen hat er schlecht erbaut,
Doch lockt' er alle Toren –
Rund sei die Erde, log er mir,
Wie Pomeranzenbälle,
Doch unermeßlich flutet hier
Nur Welle hinter Welle!»

Der andre blickt ins Meer hinaus
Und runzelt finstre Brauen:
«Señor, mich zog Columb ins Haus,
Ließ mich die Karten schauen,

Was er doziert', verstand ich nicht,
Ich ließ es alles gelten –
Sein übermächtig Angesicht
Verhieß mir neue Welten!

Ist er ein Narr, und haben wir
Uns in das Nichts verlaufen,
Ein räud'ger Hund, Señor, wie Ihr,
Darf fröhlich mit ersaufen!»
«Señor, da betet Ihr nicht gut!
Zurück Euch in den Rachen
Den räud'gen Hund! Ihr raucht von Blut
Und risset aus den Wachen!»

«Señor, ich dolcht' ein falsches Weib,
Bekenn' ich unverhohlen!
Nicht hab' dem Bäcker einen Laib
Vom Brett ich weggestohlen!
Señor, Ihr seid ein Galgenstrick!»
«Señor, Ihr seid nicht besser!»
Sie ziehen mit entflammtem Blick
Und kreuzen blanke Messer…

Dazwischen ihre Messer walzt
In tollem Freudensprunge,
Mit ölgetränkten Fingern schnalzt
Miguel, der Küchenjunge.

Er drückt die Lider blinzelnd ein
Mit schlauem Wimperzwinken,
Bald hüpft er auf dem rechten Bein,
Bald hopst er auf dem linken.

In Lüften bläht sich sein Gewand,
Es puffen ihm die Hosen –
Neugierig kommen hergerannt
Soldaten und Matrosen.
Der Junge redet kunterbunt,
Als ob's im Kopf ihm fehle,
Dann öffnet er den großen Mund
Und singt aus voller Kehle:

«Das Heimchen zirpt, das Heimchen zirpt,
Stimmt Laudes an und Psalmen!
Und wenn's mir nicht vor Freude stirbt,
Bald weidet's unter Halmen!
Ich schwör' es euch bei Gottes Haupt:
Es atmet duft'ge Weiden,
Es wittert Wälder dicht belaubt
Und unermeßne Heiden!

Erlauchte Herren, gebet acht,
In meinem engen Räumchen
Hat unsre Meerfahrt mitgemacht
Ein andalusisch Heimchen –

Mit nahm ich's aus dem Vaterland,
Mich scheidend zu beschenken,
Ich fing's mit flinkem Griff der Hand
Zu einem Angedenken.

Da wir zu Schiffe stiegen dort,
Die Zierden aller Lande,
Zirpt' Heimchen mir im Busen fort,
Als weidet's noch am Strande.
Das grüne Vorgebirg' verschwand,
Dem Heimchen ward es schaurig,
Beklommen saß es an der Wand
Und wurde faul und traurig.

So darbt's und dämmert's lange Zeit,
Schon gab ich es verloren,
Und nun, bei meiner Seligkeit,
Ist Heimchen neugeboren!
Bedenkt, es hockte gram und lahm
An Dielen und an Wänden,
Jetzt jubelt's wie ein Bräutigam
Und kann nun gar nicht enden!»

Miguel ist fort und wieder da,
Die Fingerspitze zeigend:
Da sitzt es ja! Da singt es ja!
Die Spanier lauschen schweigend –

Dann sinnen sie der Sache nach,
Den Lustgesang im Ohre,
Sie schütteln sich die Hände jach
Und schrein in wildem Chore:

«Das Heimchen zirpt! Das Heimchen zirpt!
Bald schwelgen wir in Beute!
Wer spielt, gewinnt! Wer wagt, erwirbt!
Wir sind gemachte Leute!
Die Küste winkt! Das Gold erblinkt,
Davon die Sagen melden!
Das Morgen steigt! Das Gestern sinkt!
Wir sind berühmte Helden!»

Mit zwei Worten

Am Gestade Palästinas, auf und nieder,
                        Tag um Tag,
«London?» frug die Sarazenin, wo ein Schiff
                        vor Anker lag.
«London!» bat sie lang vergebens, nimmer müd
                        nimmer zag,
Bis zuletzt an Bord sie brachte eines Bootes
                        Ruderschlag.

Sie betrat das Deck des Seglers, und ihr wurde
                        nicht gewehrt.
Meer und Himmel. «London?» frug sie, von der
                        Heimat abgekehrt.
Suchte, blickte, durch des Schiffers ausgestreckte
                        Hand belehrt,
Nach den Küsten, wo die Sonne sich in Abendg
                        verzehrt...

«Gilbert?» fragt die Sarazenin im Gedräng'
                        der großen Stadt,
Und die Menge lacht und spottet, bis sie dann
                        Erbarmen hat.

«Tausend Gilbert gibt's in London!» Doch sie
                    sucht und wird nicht matt.
«Labe dich mit Trank und Speise!» Doch sie wird
                    von Tränen satt.

«Gilbert!» – «Nichts als Gilbert? Weißt du keine
                    andern Worte? Nein?»
«Gilbert!» – «Hört, das wird der weiland Pilger
                    Gilbert Becket sein –
Den gebräunt in Sklavenketten glüher Wüste
                    Sonnenschein –
Dem die Bande löste heimlich eines Emirs
                    Töchterlein!»

«Pilgrim Gilbert Becket!» dröhnt es, braust es längs
                    der Themse Strand.
Sieh, da kommt er ihr entgegen, von des Volkes
                    Mund genannt,
Über seine Schwelle führt er, die das Ziel
                    der Reise fand.
Liebe wandert mit zwei Worten gläubig über Meer
                    und Land.

Die Füße im Feuer

Wild zuckt der Blitz. In fahlem Lichte
                              steht der Turm
Der Donner rollt. Ein Reiter kämpft mit
                              seinem Roß,
Springt ab und pocht ans Tor und lärmt.
                              Sein Mantel saust
Im Wind. Er hält den scheuen Fuchs
                              am Zügel fest.
Ein schmales Gitterfenster schimmert
                              goldenhell,
Und knarrend öffnet jetzt das Tor ein
                              Edelmann...

«Ich bin ein Knecht des Königs, als Kurier
                              geschickt
Nach Nîmes. Herbergt mich! Ihr kennt des
                              Königs Rock!»
«Es stürmt. Mein Gast bist du. Dein Kleid, was
                              kümmert's mich?
Tritt ein und wärme dich! Ich sorge für dein Tier!»

Der Reiter tritt in einen dunkeln Ahnensaal,
Von eines weiten Herdes Feuer schwach erhellt,
Und je nach seines Flackerns launenhaftem Licht
Droht hier ein Hugenott' im Harnisch,
                                        dort ein Weib,
Ein stolzes Edelweib aus braunem Ahnenbild…
Der Reiter wirft sich in den Sessel vor dem Herd
Und starrt in den lebend'gen Brand. Er brütet,
                                        gafft…
Leis sträubt sich ihm das Haar. Er kennt den Herd,
                                        den Saal…
Die Flamme zischt. Zwei Füße zucken in der Glut.

Den Abendtisch bestellt die greise Schaffnerin
Mit Linnen blendend weiß. Das Edelmägdlein hilft.
Ein Knabe trug den Krug mit Wein. Der Kinder
                                        Blick
Hangt schreckensstarr am Gast und hangt am Herd
                                        entsetzt…
Die Flamme zischt. Zwei Füße zucken in der Glut.
Verdammt! Dasselbe Wappen! Dieser selbe Saal!
Drei Jahre sind's… Auf einer Hugenottenjagd…
Ein fein, halsstarrig Weib… ‹Wo steckt der Junker?
                                        Sprich!›
Sie schweigt. ‹Bekenn!› Sie schweigt. ‹Gib ihn her-
                                        aus!› Sie schweigt.

Ich werde wild. *Der* Stolz! Ich zerre das Geschöpf.
Die nackten Füße pack' ich ihr und strecke sie
Tief mitten in die Glut... ‹Gib ihn heraus!›
                             Sie schweigt...
Sie windet sich... Sahst du das Wappen nicht am T
Wer hieß dich hier zu Gaste gehen, dummer Narr
Hat er nur einen Tropfen Bluts, erwürgt er dich.»
Ein tritt der Edelmann. «Du träumst! Zu Tische,
                             Gast...»

Da sitzen sie. Die drei in ihrer schwarzen Tracht
Und er. Doch keins der Kinder spricht das
                             Tischgebet.
Ihn starren sie mit aufgerißnen Augen an.
Den Becher füllt und übergießt er, stürzt den Tru
Springt auf: «Herr, gebet jetzt mir meine Lagersta
Müd bin ich wie ein Hund!» Ein Diener
                             leuchtet ihm,
Doch auf der Schwelle wirft er einen Blick zurück
Und sieht den Knaben flüstern in des Vaters Ohr.
Dem Diener folgt er taumelnd in das Turmgemac

Fest riegelt er die Tür. Er prüft Pistol und Schwer
Gell pfeift der Sturm. Die Diele bebt. Die Decke
                             stöhnt.
Die Treppe kracht... Dröhnt hier ein Tritt? Schlei
                             dort ein Schritt

n täuscht das Ohr. Vorüber wandelt Mitternacht.
uf seinen Lidern lastet Blei, und schlummernd
sinkt
r auf das Lager. Draußen plätschert Regenflut.
r träumt. «Gesteh!» Sie schweigt. «Gib ihn heraus!»
Sie schweigt.

r zerrt das Weib. Zwei Füße zucken in der Glut.
uf sprüht und zischt ein Feuermeer, das ihn
verschlingt…
Erwach! Du solltest längst von hinnen sein!
Es tagt!»
urch die Tapetentür in das Gemach gelangt,
or seinem Lager steht des Schlosses Herr – ergraut,
em gestern dunkelbraun sich noch gekraust
das Haar.

ie reiten durch den Wald. Kein Lüftchen regt
sich heut.
ersplittert liegen Ästetrümmer quer im Pfad.
ie frühsten Vöglein zwitschern, halb im
Traume noch.
riedsel'ge Wolken schwimmen durch die
klare Luft,
ls kehrten Engel heim von einer nächt'gen Wacht.
ie dunkeln Schollen atmen kräft'gen Erdgeruch.
ie Ebne öffnet sich. Im Felde geht ein Pflug.

Der Reiter lauert aus den Augenwinkeln: «Herr,
Ihr seid ein kluger Mann und voll Besonnenheit
Und wißt, daß ich dem größten König eigen bin.
Lebt wohl. Auf Nimmerwiedersehn!» Der andre
                                        spricht:
«Du sagst's! Dem größten König eigen! Heute war
Sein Dienst mir schwer... Gemordet hast du
                                        teuflisch mir
Mein Weib! Und lebst!... Mein ist die Rache,
                                        redet Gott.»

Joseph Victor Scheffel
1826–1886

Der Knapp'

Der Herr vom Rodensteine
Sprach fiebrig und schabab*:
«Ungern duld' ich alleine,
Wo steckt mein treuer Knapp'?

Ich spür' in Haupt und Magen
Ein Stechen und Geschlapp**…
Diesmal geht mir's an Kragen,
Wo steckt mein treuer Knapp'?»

Der Reitersjungen viere
Durchsuchten Weg und Steg:
Der Knapp' saß fest beim Biere,
Juhei! im «Bremeneck».

Er trank und sprach mit Trauern:
«Du braver Rodenstein!
Allein ich muß bedauern,
Ich kann nicht bei dir sein!

---

* unwirsch
** Gurgeln, Aufstoßen

Ist *dir* was zugestoßen –
Auch *ich* hab' was erlebt:
Ich bin mit Rock und Hosen
Hier völlig festgeklebt.»

Die Jungen meld'ten traurig
Dem Kranken, was geschehn.
Da sprach er fieberschaurig:
«O Knapp', das ist nicht schön!

Lässest du dein'n Herren schwitzen
In solcher Not und Plag',
So sollst du übersitzen
Bis an den Jüngsten Tag!»

Es sprach's und starb im Fieber.
Sein letztes Wort traf zu,
Der Knapp' sitzt heut noch über,
Es läßt ihm keine Ruh'.

Und nachts wie Sturmgewitter
Jagt's oft straßauf, straßab,
Das ist der alte Ritter,
Er ruft: «Wo steckt mein Knapp'?!»

Der Delphin

Kap Campanella war umschifft,
Und nach Salerno ging's,
Amalfis Küste, steilumrifft,
Stand hoch und duftig links.
Die Barkenführer, kurzbehost
Und halbnackt, scherzten roh
Und sangen als Matrosentrost:
   «'Sta sera Maccaró!»

Im Salzhauch badend Haupt und Brust,
Die Seele ätherklar,
Genossen wir der Meerfahrt Lust,
Ein Paestum-pilgernd Paar.
Wir grüßten Flut und Abendrot
In lautem Jubilo
Und grüßten auch das Abendbrot:
   «'Sta sera Maccaró!»

Wie bei Arions Zitherspiel
Versammelte sich bald
Ein Schwarm Delphine um den Kiel,
Spitzköpfiger Gestalt,

Hei wunderseltsam Meergeleit!
Sie purzelbaumten froh,
Als kennten sie des Spruchs Bedeut:
  «'Sta sera Maccaró!»

Vor allen einer aus der Zahl
Schien sanft auf uns erpicht
Und schnaubte seinen Wasserstrahl
Dem Bootsmann ins Gesicht.
Doch der verstand die Freundschaft schief,
Griff's Ruder... he, hoiho!
Und schlug's ihm um den Kopf und rief:
  «'Sta sera Maccaró!»

Spät sah das Boot Salernos Strand,
Fein war die Trattorie,
Ein Berg von Makkaroni stand
Vor uns, schneeweiß wie nie.
Die Schiffer lobten Schmaus und Wirt,
Wir Pilger ebenso...
Nur der Delphinus war blamiert...
  «'Sta sera Maccaró!»

Doch als das Meer phosphorisch schien
In mitternächtigem Schein,
Da war's, als schau' uns der Delphin
Vom Golf zum Fenster rein.

Giftstachlig saugten unser Blut
Mordschnake, Wanz' und Floh.
Er aber lacht' aus kühler Flut:
    «'Sta sera Maccaró!»*

---

* Heute abend ess' ich Makkaroni

Detlev von Liliencron
1844–1909

Der rote Mantel

Nis Hinrichsen von Heistrupgaard,
Der Hardesvogt* von Bülderupgaard,
War klug und wahr im Rate.
Sein Hengst sprang zwanzig Ellen weit,
Gespickt mit Pfeilen war sein Kleid,
Am Sonntag Jubilate.

Der alte König Gorm ist tot,
Da war im Reiche große Not,
Wer soll nun König werden.
Den Jüngsten, Gilm, liebt Volk und Land
Der andre, Skjalm, ist unbekannt,
Der schweift umher auf Erden.

Doch als er hört des Vaters End',
Flugs hat auch er die Stirn gewend't
Und ist zu Haus schon heute.
Der Jüngste aber schreit ihn an:
«Was willst du hier, du fremder Mann,
Dich kennen nicht die Leute.»

---

* königlicher Statthalter

«Was!» rief der Älteste mit Grimm:
«Du Kobold du, und das wär' schlimm,
Doch höre, was ich sage.
Nis Hinrichsen, wie dir bekannt,
Ist Vizekönig hier im Land,
Der schlichte unsre Klage.»

Nis zog die Hakennase kraus,
Auf seiner Leber kroch die Laus,
Vor Ärger ward er gelbe.
«Denn mach' ich Skjalm die Sache recht,
So mach' ich Gilm die Sache schlecht,
Und umgekehrt dasselbe.

Der Teufel hol' den Kronenzwist,
Ich bitt' mir aus ein Halbjahr Frist,
Es wird vielleicht gelingen.»
Stark füttern ließ er seinen Rock
Und übte über Stein und Stock
Sein milchweiß Pferd im Springen.

In Urnehöved war die Wahl;
Es warteten dort in Helm und Stahl
Skjalm, Gilm und ihre Ritter.
Nis kam und schrie von weitem schon:
«Gilm blieb im Land, dafür den Thron.
Kehrt, weg wie Ungewitter.»

«Heraus die Plempen, schlagt ihn tot»,
Brüllt heiser Skjalm, «Schockschwerenot,
Und laßt die Pfeile schwirren!»
Es braust die Jagd wie Wettergraus,
Doch Nis ist immer weit voraus
Und läßt sich nicht beirren.

Heißa, in rasendem Galopp,
Ein Wagen wegquer, drüber, hopp,
Es zaudern schon die letzten.
Sein dicker roter Mantel bläht,
Von tausend Pfeilen übersät;
Die Hunde weit, die hetzten.

Den roten Mantel hing er auf
An einer Marmorsäule Knauf
In hohen Tempelhallen.
Mein Urgroßvater fand ihn noch;
Ich sah von ihm kein Ösenloch,
Er ist in Staub zerfallen.

Ein Geheimnis

Vier edle Füchse nicken mit den Köpfen,
Daß Brust und Hals und Mähnen, Zaum und
                                                    Zügel,
Mit weißem Schaumgeflock getigert sind.
Die feinen Hufe scharren ungeduldig,
Den leichten Wagen, dem sie vorgespannt,
Durch weite Strecken mühlos fortzureißen.
Am offnen Schlage steht der Groom* und wartet.

Die Tür des Schlosses öffnet ihre Flügel.
Und tiefgebeugter Dienerschaft vorüber
Betritt, des linken Handschuhs Knöpfe schließend,
Ein großer Mann mit kurzem braunem Vollbart
Die Marmortreppe, steht, und steigt hinunter.
Die Haare deckt ein alter grauer Filz,
Geschmückt mit unscheinbarer Sperberfeder.
Gewehr und Tasche liegen schon im Sitz.
Der Hühnerhund springt schleunig auf die Polster.
Und fort, als gält' es eine Siegesbotschaft,
Entstürmt dem Halt in Hast der Viererzug.

---

* Reitknecht

Dem Jäger schaut vom hohen Fenster nach
Ein stolzes, blasses, üppig großes Weib:
«Wenn ich nur wüßte, was ihn immer drängt,
Auf jener magern Heidewelt zu jagen.
Wenn einmal nur er fragte: ‹Willst du mit?›»
Und traurig läßt sie sich im Sessel nieder,
Die stillen Augen mit den Händen deckend.
Doch keine Träne tropft ihr von der Wimper.

Indessen rollt der Wagen seinen Weg,
Und rollt und rollt drei Stunden durch die Felde
Und Nord und Süd, so weit das Auge reicht,
Und West und Ost in unbegrenzter Ferne
Gehört dem Jäger, der im Wagen sitzt
Und freundlich rechts und links den Bauern
                                    dankt,
Wenn ehrerbietig sie die Mützen rücken.

Vor einem Heidkrug* hält das Viergespann.
Die Büchse umgehangen, schlendert nun
Allein der Jäger durch das braune Kraut.
Feldmann hat Hühner in der Nase, steht.
Doch hinter ihm blitzt kein Gewehr heran.
Am Waldrand weilt der Mann vor einem
                                    Häuschen,

---

* Gasthaus in der Heide

Bei dessen Tür ein kleiner Knabe spielt.
Und in die Arme nimmt er rasch den Jungen
Und küßt die Lippen ihm, die großen Augen,
Die wunderbaren dunkelblauen Augen,
Von langen schwarzen Wimpern scharf beschützt.
Und trägt ihn dann ins Haus.

                        Ein Mütterchen
Tritt ihm entgegen mit Bewillkommsgruß.
Bald sitzen sie vereint am Sofatisch.
Der Jäger schaukelt auf den Knien den Knaben,
Und lacht und scherzt, und läßt in seinen Taschen
Den Kleinen nach Bonbons und Spielwerk suchen,
Und sieht ihm immer in die großen Augen,
Die wunderbaren dunkelblauen Augen,
Von langen schwarzen Wimpern stark beschützt.

Und wieder rollt im Trab, diesmal zurück,
Der Viererzug. Und hält am Schloßportal.
Die stolze, blasse, üppig große Frau
Empfängt den Schloßherrn, kalt, im Ballanzug.
Rasch ist er umgekleidet. Beide fahren
Durch stark erhellte Straßen zur Gesellschaft.

Der Jäger wird von Hunderten beneidet,
Die heute sich begrüßen in den Sälen,
Um seine stolze, wunderschöne Frau.
Er liebt sie nicht; ja, ihre samtne Haut

Erregt ihm Schauder schon, berührt er sie.
Einmal, fast laut, im Lärmen eines Toastes,
Eh' noch das Glas die Lippen ihm berührt,
Flüstert er wie zerstreut und abwesend:
«Ach, süßes Herz, was gingst du weg von mir.»

Es schleicht die Sommernacht auf Katzenpfoten
Des Schlosses Lichter alle sind gelöscht.
Der Herr des Hauses schläft in seinem Zimmer
Und atmet regelmäßig, ruhig weiter.
Ganz leise, leise, leise geht die Tür,
Und seine Frau, in weißem Nachtgewand,
Setzt vorsichtig ein Lämpchen auf den Tisch
Und dämpft den Schein durch vorgestellten
                                    Schirm.
Dann sitzt sie bald am Rande seines Bettes
Und lauscht und schaut auf die geschlossenen
                                    Lider.
In gleichem Tonfall, langsam jedes Wort,
Spricht sie zu ihm, des Brust sich hebt und senkt
Und hebt und senkt, hebt, senkt, und hebt und
                                    senkt:
«Rudolf.» – «Kamilla?» – «Wie war heut die Jagd?»
Und er, als spräch' er wachend, klar und deutlich:
«Die Jagd, Kamilla? Nun, was soll die Jagd?
Ich war am Waldesrand bei meinem Sohn.»

Schwoll ihr ein breiter Blutstrom vor den Augen?
Fiel dann der Schnee so dicht, so dicht herab?
Sie preßt die Hand aufs Herz, so fest, so fest.
Und wieder fragt im selben Tone sie:

«Rudolf.» – «Kamilla?» – «Und wie heißt dein
                                    Sohn?»
«Ich gab ihm meinen eignen Namen: Rudolf.»
«Rudolf.» – «Kamilla?» – «Und wie heißt
                                    die Mutter?»
«Die Mutter starb, als sie den kleinen Kerl
In meine Arme selig mir gelegt.»

Unruhig wird der ruhig Schlafende.
Doch sie mit ihren stillen grauen Augen
Bannt ihn, daß seine Atemzüge bald
In gleichen Zwischenräumen wiederkehren.
«Rudolf.» – «Kamilla?» – «Liebst du noch
                                    das Mädchen?»
«Bis jeder Stern vom weiten Himmel fällt.»

Die Frau steht auf. Doch bleibt sie noch am Bett.
Ein letzter, langer, schwerer Abschiedsblick
Voll Haß und Eifersucht und Schmerz und Weh.
In grenzenloser Liebe küßt sie dann
Die Stirne dessen, der ihr Leben war.

*

Ein Schwan, der seinen Schnabel tief verbarg
Im warmen Schlupfe seines mächtigen Flügels,
Fährt plötzlich aus dem Traum.
                              Die stolze Frau
War neben ihm im Gartenteich verschwunden.

Carl Spitteler
1845–1924

Die jodelnden Schildwachen

Am Uetliberg im Züribiet*,
Da steht ein Pulverturm im Riet;
Herr Pestalozzi, der Major,
Pflanzte drei Mann als Wacht davor.

«Hier bleibt ihr stehn, ihr Sakerlott**!
Und daß sich keiner muckst und rod't***!
Sonst – Strahl und Hagel – gibt's etwas!
Verstanden? – Also: merkt euch das.»

Drauf bog er um den Albisrank,
Wo er ein Tröpflein Roten trank.
Ein Schöpplein schöpft' er oder zwei,
Da weckt' ihn eine Melodei.

Dreistimmig wie ein Engelchor
Scholl's hinterm Pulverturm hervor.
Da half kein Zweifeln: das ist klar!
Die Schildwach' jodelte fürwahr.

---

  * Zürcher Landschaft
 ** Kerl
*** sich bewegen

Wer galoppiert jetzt ventre à terre*
Wie Blitz und Strahl von Albis her?
«Vor allem haltet dieses fest:
Drei Tage jeder in Arrest!

Jawohl! das käm' mir just noch recht!
Um eines aber bitt' ich, sprecht,
Wie diese Frechheit euch gelingt,
Daß einer auf dem Posten singt?»

*

Da sprach der erste: «Kommandant!
Dort unten liegt mein Heimatland.
Ich schütz' es mit der Flinte mein.
Wie sollt' ich da nicht lustig sein?»

Der zweite sprach: «Herr Pestaluzz!
Seht Ihr das Rathaus dort am Stutz**?
Dort wähl' ich meine sieben Herrn.
Drum dient' ich froh; drum leist' ich gern

Der dritte sprach: «Ich halt' als Norm!
's ist eine Freud', die Uniform.
's ist eine mutige Mannespflicht.
Da muß man jauchzen. – Oder nicht?»

---

 * in gestrecktem Galopp
** Abhang

Der Junker schrie: «Zum Teufel hin!
Die erste Pflicht heißt Disziplin!
Ihr Lauser! wart'! Euch krieg' ich schon!
Glaubt mir's!»
              Und wetterte davon.

       *

Am selbigen Abend spät indes
Meint' Oberst Bodmer in der Mess':
«Was Kuckucks hat nur der Major?
Er kommt mir heut ganz närrisch vor!

Singt, pfeift und möggt* in seinen Bart.
Das ist doch sonst nicht seine Art.»
Der Pestalozzi hörte das,
Sprang auf den Stuhl und hob sein Glas:

«Mein lieber Vetter Ferdinand,
Stadtrat und Oberst zubenannt!
Wenn einer kommt und hat die Ehr'
Und dient in solchem Militär

Von wetterfestem Bürgerholz –
Gesteift von Trotz, gestählt von Stolz –
Lausketzer, die man büßen muß,
Weil ihnen schildern** ein Genuß –

---

  * summen
 ** Wache schieben

Mannschaften, wo der letzte Hund
Hat ein Ideal im Hintergrund –
Komm her beim Styx! stoß an beim Eid! –
Wer da nicht mitmöggt, tut mir leid.»

Fatime

Es sprach der Tod zu seinen fahlen Pferden:
«Ich wittere Glück, es gibt noch Glück auf Erden!
Wieviel auch Haß und Hader herrscht hienieden,
Ich spüre Herzlichkeit, ich rieche Frieden.»

Ein Daumenschlag, ein Pfiff aus seinem Munde:
Und beutegierig grölten seine Hunde.
Unwirsch erklettert' er den Sichelwagen,
Packte die Zügel, und mit tollem Sprung
Ließ er den ungestümen Sechsspann jagen
Vom Wildspitz nieder in die Dämmerung.
Der Sturm erschien auf seinen Geierruf,
Der Föhn erfaßte heulend seine Schürze.
Und wo den Boden schlug der Rosse Huf,
Rollten Lawinen, schäumten Wasserstürze.
In Goldau hemmt' er schnuppernd seine Fahrt,
Spähte gen Brunnen, horchte gegen Arth.
Dann plötzlich lenkt' er steifen Blicks den Flug
In weitem Bogen um den See nach Zug.

Ich weiß ein Haus in Lilien und Levkojen,
Wo Kummer Tränen, Scherz Verständnis findet,

Wo Geisteswert mit Güte sich verbindet,
Helvetische Kraft mit Wohllaut von Savoyen.
Ein Herd der Poesie, ein Heim der Kunst,
Und alles Ungemeine steht in Gunst.
Kennst du, von keinem Stachel auszumerzen,
Den Spruch am Tor: «Hier wohnen große
                                      Herzen»?

Hier spannt' er aus, warf sich aufs Sattelroß,
Ritt durch den Garten um das Erdgeschoß:
«Mutter, wo ist die liebste Tochter dein?»
Sie lallt' im Schlaf: «Oben im Kämmerlein.»
«Schwestern, wie tu' ich euch am meisten weh?»
Sie stammelten: «Verschone Fatime!»
Jetzt klemmt' er seine Knie, verhielt die Zügel,
Stemmte die Fersen, bäumte sich im Bügel,
Und während unterm Kies im Gartenflur
Die Rüden kratzten eine blutige Spur
Und geifernd im Spalier mit giftigem Schnauben
Der Hengst die Nüstern wühlte durch
                                      die Trauben,
Schob er, sich türmend auf dem Sattelknopf,
Durchs Blumenfenster seinen Raubtierkopf.

Und siehe da, im Winkel der Kemnate
Das fromme Kind im bräutlichen Ornate;
Auf ihrer weißen Stirn der Jungfernkranz,
Das Angesicht beseelt von Hochzeitsglanz.

Sie sah den Unhold das Gemach verdüstern,
Und betend hub sie an im Traum zu flüstern:
«Gott weiß, ich habe Pflicht und Recht geübt,
Mit Vorsatz keinen Menschen je betrübt.
Ein wenig Leben unterm Sonnenschein,
Soll das zu viel verlangt gewesen sein?
Doch murr' ich nicht, steht's anders mir
                                        geschrieben.
Gott spend' euch Kraft und Trost! Lebt wohl,
                                        ihr Lieben!»

Schnell malt' er auf den Sims mit schwarzem Stift
Grinsend ein Zeichen in verruchter Schrift;
Dann taucht' er unter. Und verschwunden kaum,
Krähte der Hahn. Es wisperte der Morgen.
Lichtnebel huschten leise durch den Raum
Auf bunten Socken. Hinterm Fries verborgen
Nickte des Tages goldner Lockenschmuck,
Und alles schien ein wesenloser Spuck.

Und so geschah es. Nie werd' ich vergessen
Den schauerlichen Chor der Totenmessen,
Das heiße Schluchzen, den Verzweiflungsschrei,
Und höhnisch lachten Berg und See dabei.
Ich sah die Sonne der Natur sich schämen,
Und Welt und Himmel schienen Trug
                                        und Schemen.

Arno Holz

1863–1929

Nachtstück

Längst fiel von den Bäumen
Das letzte Blatt,
In Schlaf und Träumen
Liegt nun die Stadt;
Die Fenster verdunkeln
Sich Haus an Haus,
Und drüberhin funkeln
Die Sterne sich aus;
Kalt weht es vom Strom her,
Der Eisgang kracht,
Und drüben vom Dom her
Dröhnt's Mitternacht.
Ich aber schleppe mich zitternd nach Haus
Der Nordwind bläst die Laternen aus!

Was half's, daß ich klagend
Die Gassen durchlief
Und mitleidverzagend
«Hier Rosen!» ausrief?
«Hier Rosen, o Rosen!
Wer kauft einen Strauß?»
Doch die Herren Studiosen
Lachten mich aus!

Und keiner, keiner…
Daß Gott erbarm'!
O unsereiner
Ist gar zu arm!
Mir wanken die Knie, mein Herzblut
gerinnt –
O Gott, mein Kind, mein armes Kind!

In stockdunkler Kammer,
Verhungert, vertiert!
Schon packt mich der Jammer:
«Ach Muttchen, mich friert!
Ach bitte, bitte,
Ein Stückchen Brot!»
Mir ist es, als litte
Ich gleich den Tod!
Mir ist es, als müßte
Ich schreien: «Fluch!»
O daß ich dich küßte
Durchs Leichentuch!
Dann wär' es vorbei, und sie scharrten
dich ein,
Und ich trüg' es allein, o Gott, allein!

Een Boot is noch buten!

«Ahoi! Klaas Nielsen und Peter Jehann!
Kiekt nach, ob wi noch nich to Hus sind!
Ji hewt doch gesehn den Klabautermann?
Gott Lob, dat wi wedder to Hus sind!»
Die Fischer riefen's und stießen ans Land
Und zogen die Kiele bis hoch auf den Strand
Denn dumpf an rollten die Fluten;
Hans Jochen aber rechnete nach
Und schüttelte finster sein Haupt und sprach
 «Een Boot is noch buten*!»

Und ernster keuchte die braune Schar
Dem Dorf zu über die Dünen,
Schon grüßten von fern mit zerwehtem Haar
Die Fraun an den Gräbern der Hünen.
Und «Korl!» hieß es und «Leiw Marie!».
«T is doch man schön, dat ji wedder hie!»
Dumpf an rollten die Fluten.
«Un Hinrich, min Hinrich? Wo is denn dee?
Und Jochen wies in die brüllende See:
 «Een Boot is noch buten!»

----

* draußen

Am Ufer dräute der Möwenstein,
Drauf stand ein verrufnes Gemäuer,
Dort schleppten sie Werg und Strandholz hinein
Und gossen Öl in das Feuer.
Das leuchtete weit in die Nacht hinaus
Und sollte rufen: «O komm nach Haus!»
Dumpf an rollen die Fluten.
Hier steht dein Weib in Nacht und Wind
Und jammert laut auf und küßt dein Kind:
    «Een Boot is noch buten!»

Doch die Nacht verrann, und die See ward still,
Und die Sonne schien in die Flammen,
Da schluchzte die Ärmste: «As Gott will!»
Und bewußtlos brach sie zusammen!
Sie trugen sie heim auf schmalem Brett,
Dort liegt sie nun fiebernd im Krankenbett,
Und draußen plätschern die Fluten;
Dort spielt ihr Kind, ihr «lütting Jehann»,
Und lallt wie träumend dann und wann:
    «Een Boot is noch buten!»

Frank Wedekind
1864–1918

Brigitte B.

Ein junges Mädchen kam nach Baden,
Brigitte B. war sie genannt,
Fand Stellung dort in einem Laden,
Wo sie gut angeschrieben stand.

Die Dame, schon ein wenig älter,
War dem Geschäfte zugetan,
Der Herr ein höherer Angestellter
Der königlichen Eisenbahn.

Die Dame sagt nun eines Tages,
Wie man zu Nacht gegessen hat:
«Nimm dies Paket, mein Kind, und trag es
Zu der Baronin vor der Stadt.»

Auf diesem Wege traf Brigitte
Jedoch ein Individuum,
Das hat an sie nur eine Bitte,
Wenn nicht, dann bringe er sich um.

Brigitte, völlig unerfahren,
Gab sich ihm mehr aus Mitleid hin.
Drauf ging er fort mit ihren Waren
Und ließ sie in der Lage drin.

Sie konnt' es anfangs gar nicht fassen,
Dann lief sie heulend und gestand,
Daß sie sich hat verführen lassen,
Was die Madam begreiflich fand.

Daß aber dabei die Turnüre
Für die Baronin vor der Stadt
Gestohlen worden sei, das schnüre
Das Herz ihr ab, sie hab' sie satt.

Brigitte warf sich vor ihr nieder,
Sie sei gewiß nicht mehr so dumm;
Den Abend aber schlief sie wieder
Bei ihrem Individuum.

Und als die Herrschaft dann um
                              Pfingsten
Ausflog mit dem Gesangverein,
Lud sie ihn ohne die geringsten
Bedenken abends zu sich ein.

Sofort ließ er sich alles zeigen,
Den Schreibtisch und den Kassenschrank,
Macht die Papiere sich zu eigen
Und zollt ihr nicht mal mehr den Dank.

Brigitte, als sie nun gesehen,
Was ihr Geliebter angericht',
Entwich auf unhörbaren Zehen
Dem Ehepaar aus dem Gesicht.

Vorgestern hat man sie gefangen,
Es läßt sich nicht erzählen wo;
Dem Jüngling, der die Tat begangen,
Dem ging es gestern ebenso.

Der Tantenmörder

Ich hab' meine Tante geschlachtet,
Meine Tante war alt und schwach;
Ich hatte bei ihr übernachtet
Und grub in den Kisten-Kasten nach.

Da fand ich goldene Haufen,
Fand auch an Papieren gar viel
Und hörte die alte Tante schnaufen
Ohn' Mitleid und Zartgefühl.

Was nutzt es, daß sie sich noch härme –
Nacht war es rings um mich her –
Ich stieß ihr den Dolch in die Därme,
Die Tante schnaufte nicht mehr.

Das Geld war schwer zu tragen,
Viel schwerer die Tante noch.
Ich faßte sie bebend am Kragen
Und stieß sie ins tiefe Kellerloch.

Ich hab' meine Tante geschlachtet,
Meine Tante war alt und schwach;
Ihr aber, o Richter, ihr trachtet
Meiner blühenden Jugend-Jugend nach.

Das arme Mädchen

«Böt' mir einer, was er wollte,
Weil ich arm und elend bin.
Nie, und wenn ich sterben sollte,
Gäb' ich meine Ehre hin!»
Schaudernd eilt das Mädchen weiter,
Ohne Obdach, ohne Brot,
Das Entsetzen ihr Begleiter,
Ihre Zuversicht der Tod.

    Es klappert in den Laternen
    Des Winters eisig Wehn,
    Am Himmel ist von den Sternen
    Kein einziger zu sehn.

Wie sie nun noch eine Strecke
Weiter irrt, sieht sie von fern
An der nächsten Straßenecke
Einen ernsten jungen Herrn.
Ihm zu Füßen auf die Steine
Bricht sie ohne einen Laut,
Hält umklammert seine Beine,
Und der Herr verwundert schaut:

«Wenn dich die Menschen verlassen,
Komm auf mein Zimmer mit mir;
Jetzt tobt in allen Gassen
Nur wilde Begier.»

Und sie folgte seinen Schritten,
Hielt sich schüchtern hinter ihm;
Jener hat es auch gelitten,
Wurde weiter nicht intim.
Angelangt auf seinem Zimmer,
Zündet er die Lampe an,
Bei des Lichtes mildem Schimmer
Bald sich ein Gespräch entspann:

«Es boten mir wohl viele
Ein Obdach für die Nacht,
Doch hatten sie zum Ziele,
Was mich erschaudern macht.»

«Ferne sei mir das Verlangen»,
Sprach der ernste junge Mann,
«Dir zu färben deine Wangen,
Wenn ich's nicht durch Güte kann.»
Bat sie, länger nicht zu weinen,
Holte Wurst und kochte Tee,
Und am Morgen zog er einen
Taler aus dem Portemonnaie.

Sie hat ihn bescheiden genommen
Und fand, eh' der Tag vorbei,
Als Plätterin Unterkommen
In einer Wäscherei.

Aber ach, die Tage gingen
Und die Nächte freudlos hin,
Bluteswallungen umfingen
Ihren frommen Kindersinn.
Immer mußt' sie sein gedenken,
Der so freundlich zu ihr war,
Immer mußt' den Kopf sie senken
In der muntern Mädchenschar.

Und eines Abends um neune
Hielt sie's nicht aus,
Lief ganz alleine
Nach seinem Haus.

Er war noch nicht heimgekommen,
Sie verkroch sich unters Bett,
Bis sie seinen Schritt vernommen,
Wo sie gern gejubelt hätt'.
Doch sie hielt sich still da unten,
Bis er sich zu Bett gelegt
Und den süßen Schlaf gefunden,
Dann erst hat sie sich geregt.

Leise wie eine Elfe
Schlupft sie zu ihm hinein:
«Daß Gott mir helfe –
Ich bin dein!»

Doch da hat er sich erhoben,
Wußte erst nicht, was geschah,
Hat die Kissen vorgeschoben,
Als das Kind er nackend sah:
«Nein, jetzt will ich dich nicht haben;
Wohl dir, daß du mir vertraut!
Aber spare deine Gaben,
Denn schon morgen bist du Braut!»

Er führte binnen acht Tagen
Sie wirklich zum Altar.
Es läßt sich gar nicht sagen,
Wie glücklich sie war.

Ricarda Huch
1864–1947

Salamandermärchen

Saß ein schöner, gelbgeflammter
Salamander glutumflossen
Auf dem sonnenheißen Steine
Wie ein Höllenpfuhlverdammter.
Aber wie in Erz gegossen,
Stehn die glatten schwarzen Beine.

Zauber bannte den Uralten,
Als er sich dahin verlaufen,
Eines bösen Tags Gedenken:
Ihn, den feuchtefrohen, kalten,
Fing man einst, die Glut zu taufen,
Eine Flamme zu ertränken.

Fing vor mehr denn hundert Jahren
Jener emsige Gelehrte,
Forscher in dem Bücherleibe
Der Natur, wo er erfahren,
Daß der Teufel sei Gefährte
Dem Reptile (wie dem Weibe).

Und den scheuen Waldgesellen
Setzte er auf glühnde Kohlen,
Um die Flamme zu bezwingen.

Ach, es fließen keine Quellen
Aus den armen, zarten Sohlen,
Und er möchte gern entspringen,

Sehnt sich nach dem feuchten Moose,
Nach dem würz'gen Sommerregen,
Der die Würmer lockt, die fetten.
Und sieh da! die Todeslose
Wandten sich ihm noch zum Segen:
Er entschlüpft und kann sich retten.

An dies heiße Abenteuer
Denkt er jetzo, auf dem Steine,
In Erinnrung eingesponnen;
Und der Sonne Mittagfeuer
Lodert ihm durch die Gebeine
Lebensschauer, Todeswonnen.

Endlich wickelt eine Wolke
Sonne ein und löst die Bande;
Eilig macht er sich von dannen.
Unter aufgeklärtem Volke
Im Verein-für-Tierschutz-Lande
Wallt er froh durch freie Tannen.

Spinoza

Einst im Haag, in der behäb'gen
Niederländ'schen Stadt des Handels,
Die der Freiheit sinnig pflegte,
Schritt am Abend spät Spinoza
Durch die Straßen langsam wandelnd.
War die Zeit, wo jener Ludwig[51],
Frankreichs allerfrömmster König,
Seinen Gottesdienst verbreitend –
Zornig über alle Ketzer,
Die ihn, störrig, nicht verehrten –
Durch Europas Westen klirrte.
Ganz besonders war das trotz'ge,
Freie Meervolk ihm verleidet,
Und er strebt', es einzufangen,
Es zu zähmen und ihm feinre
Sitte ärztlich beizubringen.
Darum ging ein Klang von Waffen
Durch die Straßen jenes Abends,
Als Spinoza einsam wandelnd
Und gedankenvoll einherschritt.
Dürftig war ihm Hut und Mantel;
Aber Fülle wohnte stattlich,
Doch voll Maß, auf seiner Stirne.

In dem Spiegel seiner Augen,
Wie in Märchenseen ein reiner
Wolkenloser Ätherhimmel,
Lag die Welt, sichtbarer Wohlklang,
Einfach, ein gelöstes Rätsel.
Um die liebevollen Lippen
War nie Leidenschaft gewandelt,
Weder Zorn noch blindes Hassen,
Heiter schienen sie zu staunen
Über die verschlungnen strupp'gen,
Dornig mühevollen Wege,
Die die Menschheit eigensinnig
Wählt für ihre lange Irrfahrt.
Da, in einer Haustür Schatten,
Traf sein Blick zwei junge Menschen,
Mann und Weib. Zum Krieg gegürtet
Er; es war der Tag des Scheidens.
Halb im Lichte der Laterne
Sah der Weise ihre Züge.
Schmerzlich ruhten beider Augen
Ineinander, dennoch heiter,
Stolz des hochgemuten Opfers.
An den Händen fest sich haltend,
Schienen sie sich stumm zu sagen:
«Einig sind wir, ob wir leben,
Ob für Vaterland und Freiheit,
Für den teu'r erkämpften Glauben

Gern verblutend, wir für immer
Heute voneinander scheiden.
Nicht nach Stunden, nicht nach Tagen
Zählt das Leben, die vergehen;
Doch was unsre Tage füllte,
War die ew'ge Lieb' und Treue.»
Halb im Lichte der Laterne
Das bewegte Bild betrachtend,
Stand Spinoza eine Weile;
Danach schritt er zögernd weiter.
Als er heimkam, nach Gewohnheit
Still entzündet' er die Lampe,
Setzte sich zum Lesen nieder,
Schlug das Buch mit läss'ger Hand auf,
Starrte auf die schwarzen Lettern –
Doch sah nicht, was sie bedeuten.
«Auch der Wahn», sprach er, «muß lieblic
Süß auch sein, und auch das Leiden.
Ob ein Zufall nur, ein Hemmnis
Für die reine Menschenliebe,
Muß ein Vaterland, ein teures,
Kindisch, blind und streng geliebtes,
Schön sein. Ob auch ein entstelltes
Bild nur, muß die Freiheit schön sein,
Die der Völker ehrne Ketten
Scheint zu lösen zaubermächtig;
Schön muß sein, für sie zu sterben.

Ob auch aller Menschen Glauben
Nur ein Tasten, nur ein Irren,
Hemmnis nur der Menschenliebe:
Schön muß sein, für seine Götter
Kämpfen, fallen und das Wehen
Ew'ger Palmen um die heiße
Dulderstirn entzückt zu ahnen.
Ob ein flüchtig und betrüglich
Ding die Liebe nur: zu lieben
Muß ein seliges Empfinden,
Muß des Lebens schönster Traum sein.»

Else Lasker-Schüler
1869–1945

Ballade
Aus den sauerländischen Bergen

Er hat sich
In ein verteufeltes Weib vergafft,
In sing* Schwester!

Wie ein lauerndes Katzentier
Kauerte sie vor seiner Tür
Und leckte am Geld seiner Schwielen.

Im Wirtshaus bei wildem Zechgelag'
Saß er und sie und zechten am Tag
Mit rohen Gesellen.

Und aus dem roten, lodernden Saft
Stieg er, ein Riese, aus zwergenhaft
Verkümmerten Gesellen.

Und ihm war, als blicke er weltenweit,
Und sie schürte den Wahn seiner
Und lachte!　　　　　[Trunkenheit

Und eine Krone von Felsgestein,
Von golddurchädertem Felsgestein,
Wuchs ihm aus seinem Kopf.

----

* seine

Und die Säufer kreischten über den Spaß.
«Gott verdamm' mich, ich bin der Satanas!»
Und der Wein sprühte Feuer der Hölle.

Und die Stürme sausten wie Weltuntergang,
Und die Bäume brannten am Bergeshang,
Es sang die Blutschande...

Und sie holten ihn um die Dämmerzeit,
Und die Gassenkinder schrien vor Freud'
Und bewarfen ihn mit Unrat.

Seitdem spukt es in dieser Nacht,
Und Geister erscheinen in dieser Nacht,
Und die frommen Leute beten. –

Sie schmückte mit Trauer ihren Leib,
Und der reiche Schankwirt nahm sie
                                    zum Weib,
Gelockt vom Sumpf ihrer Tränen.

Und der mit der schweren Rotsucht im Blut
Wankt um die stöhnende Dämmerglut
Gespenstisch durch die Gassen,

Wie leidender Frevel,
Wie das frevelnde Leid,
Überaltert dem lässigen Leben.

Und er sieht die Weiber so eigen an,
Und sie fürchten sich vor dem stillen Mann
Mit dem Totenkopf.

Abraham und Isaak

Abraham baute in der Landschaft Eden
Sich eine Stadt aus Erde und aus Blatt
Und übte sich mit Gott zu reden.

Die Engel ruhten gern vor seiner frommen Hüt
Und Abraham erkannte jeden;
Himmlische Zeichen ließen ihre Flügelschritte.

Bis sie dann einmal bang in ihren Träumen
Meckern hörten die gequälten Böcke,
Mit denen Isaak Opfern spielte hinter
                         Süßholzbäumen

Und Gott ermahnte: «Abraham!»
Er brach vom Kamm des Meeres Muscheln ab
                      und Schwamm
Hoch auf den Blöcken, den Altar zu schmücke

Und trug den einzigen Sohn, gebunden
                     auf den Rücken,
Zu werden seinem großen Herrn gerecht –
Der aber liebte seinen Knecht.

Agnes Miegel
1879–1964

Rembrandt

Am schiefen kleinen Fenster eines schmalen,
Engbrüstigen Hauses in der Prinzengracht
Malt Rembrandt bei des Winterabends Strahlen,
Der draußen Mast und Segel rot entfacht,
Mit welker Hand, die leise von des Weines
Verrat bebt, im zerfetzten Pelz, bestaubt
Und grau wie sein verwirrtes Haar, an eines
Weißblonden Engels zartem Kinderhaupt.
Und prüfend blickt im letzten Abendlicht
Er auf das Bild und lehnt sich an die Wand.
Ein Lächeln im verwitterten Gesicht
Ruft er, zum dunklen Zimmer halb gewandt:
«Titus! Hendrikje!»
                    Eine Türe klappt,
Ein Lichtschein kommt, der Schrank und
                              Krüge streift,
Die Scheuerbürste reibt, ein Lappen flappt
Klatschend und wuchtig auf die feuchten roten
Ziegel im Flur, und eine Stimme keift:
«Du Narr, was schreist du wieder nach den Toten!»
Und laut und frech, wie man ein Schimpfwort gellt
Am Hafen, wird die Türe zugeschlagen.

Ganz reglos steht der Greis. Die Dämmrung
                     fällt.
Er senkt das Haupt. In plötzlichem Verzagen
Schiebt kindisch er die Unterlippe vor.
Ein Zittern geht durch die erschlafften Wangen
Doch jählings richtet er sich rasch empor
Und starrt hinaus zum Fenster.
                        Von dem langen
Geteerten Vorbau an dem Nachbarhaus,
Wo wochentags Lewy Aschkenas
Hängt Bilder und verschlißnen Trödel aus,
Dort schimmert durch die Dämmrung, klar und
                      blaß,
Der Sabbatkerzen feierliches Licht.
Wie eine goldne Brücke geht ihr Leuchten
Bis zu dem Bollwerk, wo der Glanz sich bricht.
Er spiegelt sich wie Gold auf einem feuchten,
Vermorschten Pfahl, und einer Kogge Bug
Glüht wie ein Kupferschild.
                        Weit vorgebückt
Sieht Rembrandt auf des Lichtes Märchentrug.
Sein Antlitz leuchtet kindlich, jäh entzückt,
Er fühlt verjüngt die greisen Adern klopfen.
Er atmet auf, dehnt die erschlafften Glieder
Und pfeift.
                 Aus den verschwollnen Augen tropf
Langsam und heiß zwei große Tränen nieder.

Ina Seidel
1885–1974

Regenballade

Ich kam von meinem Wege ab,
Weil es so nebeldunstig war.
Der Wald war feuchtkalt wie ein Grab,
Und Finger griffen in mein Haar.
Ein Vogel rief so hoch und hohl,
Wie wenn ein Kind im Schlummer klagt –
Und ich stand still – ich wußte wohl,
Was man von diesem Walde sagt!

Dann setz' ich wieder Bein vor Bein
Und komme so gemach vom Fleck,
Und quutsch' im letzten Abendschein
Schwer vorwärts durch Morast und Dreck.
Es nebelte, es nieselte,
Es roch nach Schlamm, verfault und naß,
Es raschelte und rieselte
Und kroch und sprang im hohen Gras.

Auf einmal, eh' ich's mich versehn,
Bin ich am Strom, im Wasser schier.
Am Rand bleib' ich erschrocken stehn,
Fast netzt die Flut die Sohle mir.

Das Röhricht zieht sich bis zum Tann
Und wiegt und wogt so weit man blickt
Und flüstert böse ab und an,
Wenn es im feuchten Windhauch nickt.

Da saß ein Kerl! Weiß Gott, mein Herz
Stand still, als ich ihn sitzen sah!
Ich sah ihn nur von hinterwärts,
Und er saß klein und ruhig da,
Saß in der Nebeldämmerung,
Die Angelrute ausgestreckt,
Als ob ein toter Weidenstrunk
Den dürren Ast gespenstisch reckt.

«He, Alter!» ruf' ich, «beißt es gut?»
Und sieh', der Baumstamm dreht sich um
Und wackelt mit dem runden Hut
Und grinst mit spitzen Zähnen stumm.
Und spricht – doch nicht nach Landesart,
Wie Entenschnattern schnell und breit
Kommt's aus dem algengrünen Bart:
«Wenn's regnet, hab' ich gute Zeit!»

«So scheint es», sag' ich, und ich schau'
In seinen Bottich neben ihm.
Da wimmelt's blank und silbergrau
Und müht sich mit zerfetztem Kiem.

Aale, die Flossen zart wie Flaum,
Glotzäugig Karpfen, mittendrin –
Ich traue meinen Augen kaum! –
Wälzt eine Natter sich darin.

«Ein seltnes Fischlein, Alter, traun!»
Da springt er froschbehend empor:
«Die Knorpel sind so gut zu kaun!»
Schnattert er listig mir ins Ohr.
«Gewiß seid Ihr zur Nacht mein Gast!
Wo wollt Ihr heute auch noch hin?
Nur zu, den Bottich angefaßt!
Genug ist für uns beide drin!»

Und richtig watschelt er vorauf,
Patsch, patsch, am Uferrand entlang.
Und wie im Traume heb' ich auf
Und schleppe hinterdrein den Fang.
Und krieche durch den Weidenhag,
Der eng den Rasenhang umschmiegt,
Wo, tief verborgen selbst am Tag,
Die schilfgebaute Hütte liegt.

Da drinnen ist nicht Stuhl, nicht Tisch,
Der Alte sitzt am Boden platt,
Es riecht nach Aas und totem Fisch –
Ich werd' vom bloßen Atmen satt.

Er aber greift frisch in den Topf
Und frißt die Fische kalt und roh,
Packt sie beim Schwanz, beißt ab den Kopf
Und knirscht und schmatzt im Dunkeln froh

«Ihr eßt ja nicht! Das ist nicht recht!»
Die Schwimmhand klatscht mich
                      fett aufs Knie.
«Ihr seid vom trockenen Geschlecht,
Ich weiß, *die* Kerle essen nie.
Ihr seid bekümmert? Sprecht doch aus,
Womit ich Euch erfreuen kann?»
«Ja», klappre ich: «Ich will nach Haus
aus dem verfluchten Schnatermann[52]!»

Da hebt der Kerl ein Lachen an,
Es klang nicht gut, mir wurde kalt.
«Was wißt denn *Ihr* vom Schnatermann?»
«Ja», sag' ich stur, «so heißt *der Wald!*»
«So heißt der Wald?» Nun geht es los,
Er grinst mich grün und phosphorn an:
«Du dürrer Narr, was weißt du bloß
Vom Schnater-Schnater-Schnatermann?!»

Und schnater-schnater, klitsch und klatsch,
Der Regen peitscht mir ins Gesicht.
Quatsch durch den Sumpf, hoch spritzt
                      der Matsch,
Ein Stiefel fehlt – ich acht' es nicht.

Und schnater-schnater um mich her
Und Enten-Unken-Froschgetön,
Möwengelächter irr und leer
Und tief ein hohles Windgestöhn...

Des andren Tags saß ich allein,
Nicht weit vom prasselnden Kamin,
Und ließ mein schwer gekränkt Gebein
Wohlig von heißem Grog durchziehn.
Wie golden war der Trank, wie klar!
Wie edel war sein starker Duft!
Ich blickte nach dem Wald – es war
Noch *sehr* viel Regen in der Luft.

Georg Trakl
1887–1914

Ballade

Ein Narre schrieb drei Zeichen in Sand,
Eine bleiche Magd da vor ihm stand.
Laut sang, o sang das Meer.

Sie hielt einen Becher in der Hand,
Der schimmerte bis auf zum Rand,
Wie Blut so rot und schwer.

Kein Wort ward gesprochen –
               die Sonne schwand,
Da nahm der Narre aus ihrer Hand
Den Becher und trank ihn leer.

Da löschte sein Licht in ihrer Hand,
Der Wind verwehte drei Zeichen im Sand –
Laut sang, o sang das Meer.

Kurt Tucholsky
1890–1935

Der alte Fontane

Damals, so in den achtziger Jahren,
Ist man noch nicht mit dem Auto gefahren;
Alles ging seinen ruhigen Schritt,
Und der alte Fontane ging ihn mit.
Ein stilles Antlitz hatten die Tage:
Frühmorgens bei Kroll, auf der Brunnenwaage,
Dann die Tiergartenpromenade
(«Kannten Sie Strousberg? Schade, schade!»),
Dann ins Geschäft oder ins Büro,
Und das ging alle Vormittage so.
Mittag zu Hause, friedliche Zeiten,
Die Kinder machen Schularbeiten,
Ein kleines Nickerchen mit der Zigarre,
Und dann wieder in die geschäftliche Karre.
Und war der Tag besonders schön,
Hieß es: «Ich habe den Kaiser gesehn!»
Alles so sauber und preußisch und karg:
Der alte Fontane und seine Mark.
Aber Fontane und alle die Alten
Konnten sich auch nicht ewig halten.
Wollten noch so vieles erleben,
Mußten doch gen Walhalla schweben.

Bis hin vor die Welteneesche sie ziehn,
Da lagern sie sich um Vater Odin.

Tick, tick,
Dreißig Jahre sind ein Augenblick.

Und als nun Michaelis den Abschied nahm,
Eine Sehnsucht über Fontane kam,
Und er sprach: «Herr, laß mich auf Urlaub
                                    gehn,
Ich möchte die Spree noch einmal sehn.
Die Spree, die Havel, die Nette, die Nuthe,
Den Schlachtensee und die Räuberkuthe;
Ich kenne mich aus, und habe ich Glück,
Bis Donnerstag bin ich wieder zurück.»
Odin hat huldvoll sich verneigt –
Der Alte zur Erde niedersteigt.

Und zunächst in der Neumark, in der Nähe
                                    von Bentschen,
Landet er. «Himmel, was sind das
                                    für Menschen!»
Und er spricht hinter Schwiebus und
                                    hinter Zielenzig
«Dickköpfe, Hamster! und so was nennt sich
Nun Märker – wir wollen westwärts ziehn!»
Und so westwärts kommt er nach Berlin.

Da ist ein Schleichen und Drehen und Schieben,
Wo ist das alte Berlin geblieben?
Einer drängt immer den andern weg:
«Ham Se nich greifbaren Schweinespeck?»
Und ein Dicker steht mitten auf dem Damm
Und philosophiert über Pökelkamm.
Sie treten sich an die Schienenbeine,
Die jüngeren Herren spielen «Meine – Deine»,
Sie verkaufen Frauen und Gold und Eier
Und alles um die paar lumpigen Dreier.
Golden leuchtet ein Kirchturmknopf...

Und der Alte schüttelt schweigend den Kopf,
Freiwillig kürzt er den Urlaub ab,
In wilde Karriere fällt sein Rückzugstrab.
Sein Rückmarsch ist ein verzweifeltes Fliehn.
«Wie war es?» fragt teilnahmsvoll Odin.
Und der alte Fontane stottert beklommen:
«Gott, ist die Gegend runtergekommen!»

Frohe Erwartung

Vater Wrangel[53], jener alte gute
General von Anno dazumal,
Zog beim Klange einer Aufstands-Tute
Aus Berlin, weil man es so befahl.
   Und sie drohten ihm sein Haus zu sengen,
   Seine Frau Gemahlin zu erhängen,
   Bis er dann zu großem Gram
   Der Rebellen wiederkam.
Heftig blasend ritt man durch die Linden,
Voller Sehnsucht, seine Frau zu finden.
Weich und lind entfuhr's dem alten Knaben:
   «Ob sie ihr wohl uffjehangen haben?»

Nimmer will mich dieses Wort verlassen,
Heut noch lebt die alte Reaktion.
Heute noch ist sie so schwer zu fassen –
Brennglas, der versuchte es ja schon.
   So viel Jahre steck' ich schon im Kriege,
   Denke an die Panke meiner Wiege,
   An mein Preußen, an Berlin
   Und die Junker von Malchin.

Nie vergess' ich in dem fremden Lande
Mutter Reaktion und ihre Schande.
Voller Hoffnung sinn' ich oft im Graben:
  «Ob sie ihr wohl uffjehangen haben?»

Da zu Haus, bei Vatern auf dem Boden,
Liegt ein großes buntes Fahnentuch,
Mitten im Gerümpel der Kommoden,
In dem Schummer voller Staubgeruch…
  Und beim Urlaub sagte mir der Alte,
  Oben hängt er durch die Bodenspalte
  Seine Fahne in den Wind,
  Wenn wir erst zu Hause sind.
Das war Fünfzehn. Und bei jedem frischen
Wechsel an den deutschen grünen Tischen
Bitt' ich um die schönste aller Gaben:
  «Ob sie ihr wohl uffjehangen haben?»

Johannes R. Becher
1891–1958

Walter

Walter war mein bester Freund. Er studierte
In Berlin Philosophie.
Es ging mir damals hundsmiserabel.
Walters Freundin hieß Lilly.
Wenn ich Walter besuchte, wurde «gerade»
                    gegessen.
Dann sind wir die Nacht über zusammen-
                    gesessen
Und haben gelesen Karl Marx' «Kapital».
Lilly saß auf dem Sofa und hat meinen Rock
                    geflickt.
Wenn ich zu Hause mich auszog, jedesmal
Fand ich in meinem Rock ein Geldstück.

Ich weiß nicht, was aus mir ohne Walter
                    geworden wäre.
Ich glaube, ich wäre ins Dschungel
                    der Kneipen entglitten
Und hätte mir eines Nachts im Rausch die
                    Pulsadern aufgeschnitte
Mit Walter zusammen hielt ich dem Leben
                    stand.
Es war eine verdammt verzweifelte Sache:

Oft sah ich kaum aus den Augen vor Hunger.
Mich wieder zu einem Menschen zu machen
Wäre mir nie ohne Walter gelungen...
Ich drück' ihm noch heute dafür die Hand.

Wir sind wirklich die besten Freunde gewesen.
Haben wir uns mal gekracht,
Meistens meiner Launen wegen,
Es dauerte nie länger als eine Nacht.
Es war nach dem Krieg. Walter hat viel in Ver-
                                    sammlungen gesprochen.
In einem Speicher in Halensee hielten
                              wir uns beim
                                    Kapp-Putsch verkrochen.
Die Weißgardisten suchten in jedem Stock.
Einmal hat einer mit dem Gewehrkolben
                              an die Tür geklopft.
Wir haben unsere Pistolen geladen.
«Wenn schon – dann auf den Barrikaden.»

Nachts sind wir übers Dach in einen anderen
                                    Speicher gestiegen.
Mittags gingen wir los: vorüber an Posten,
Maschinengewehren, Stacheldraht.
Ein Wunder, daß man uns nicht verhaftet hat.
Der Gemüsehändler, der Friseur, der Drogist –
Alle tuschelten hinter uns her:
                              «Spartakist! Spartakist!»

Endlich waren wir in der Frankfurter Allee.
Rote Fahnen haben an den Häusern geweht...

Jahrelang hatten wir uns nicht gesehen.
Briefe kamen zurück: «Empfänger unbekannt»
Ich träumte: Eines Tages wird er vor mir stehen
Ein wenig rührselig lachen: «Na endlich, Hans
Alles wird sein, wie es einstmals war:
Lilly macht Tee mit dem Samowar,
Wir werden zusammen in Versammlungen gehn
Diskutieren Lenin «Staat und Revolution»,
In den Ferien an die Ostsee fahren
Nach Kosserow auf Usedom...

Ich traf Walter wieder am Bahnhof Zoo
Am Schalter:
«Erste Klasse Schlafwagen Paris!»
«Hallo!
Walter! Walter!»
Er sah mich fremd an, er blies
Den Zigarettenrauch durch die Nase.
Er sagte kurz: «Komm, gehen wir,
Es gafft schon die ganze Straße.
So zu schreien, du bist wohl nicht
                          recht gescheit –
Dort, in das Café gegenüber –
Ich habe grad noch ein wenig Zeit...»

Wir sind in das Café gegangen.
Walter bestellte Likör.
Ich wußte nicht, wie soll ich anfangen,
Vielleicht so: «Lang, lang ist's her...»
Walter schaute nach der Uhr:
«Gleich geht mein Zug,
Also, Hans, keine langen Geschichten,
                    besuch mich nur –
In einem Monat bin ich wieder hier –
Kellner, zahlen!» Da fragte ich:
«Was macht Lilly? Und wie geht es dir?»

«Lilly? Mit der bin ich längst auseinander.»
«Was», staunte ich, «ich habe nicht
                    recht verstanden.»
«Ja, zwischen Lilly und mir ist es aus.
Habe ich dir nicht geschrieben?
Ich besitze sogar ein eigenes Haus.
Langweilig – immer dieselbe lieben...
Ja, wenn ich daran denke: Karl Marx ‹Kapital›,
Versammlungen, Kapp-Putsch –
                    es war einmal.
So geht es nicht. Die Welt bleibt, wie sie ist.
Das ganze Leben ist Mist.
Gestern hab' ich geheiratet. Meine Frau:
                    berühmte Schauspielerin.
Und ich – was ich treibe? Ich bin beim Film.»

Er zeigte mir Photographien:
Walter als Graf
Vor der Kaiserin von Österreich knien
Oder wie er, dämonisch geschminkt,
Zwei Schwestern bezaubernd, spielt Violine.
«Weißt du was, ich muß Geld verdienen,
Und Revolution zu machen, das bringt
                              nichts ein.
Ich habe genug von den Kinderein.
Ich hab' mir einen Chrysler angeschafft.
Willst du mal mitfahren?
Ich sage dir – fabelhaft...»
Dann fragte er so nebenbei:
«Und du – bist noch immer in der Partei...?»

Die Jazzband hackte. Sie hat mich wirbelnd
                              davongetragen.
Ich hörte knallend Türen um Türen zuschlag
Hinter den Türen lagen Menschen,
                              Blut in den Augen.
Es schwankte die Stadt, eine riesige
                              Todesschaukel.
Die Nacht, die letzte, von geisternden
                              Bränden erhellt.
Ausgestorben schien mir auf einmal die Welt.

Was ist geschehen
Zwischen Gestern und Heut'?

Ein Toter, der nicht gestorben ist,
Sitzt am Tisch und feixt...

Ich schaute mich um:
Wo war ich nur, wo?!
Es schluchzte in mir:
«Weißt du schon, Walter: Walter ist tot –
Was, du weißt nicht, wer Walter war?!»
Draußen blitzten die Lichtreklamen,
Und Plakate, feurig gemalt,
Winkten mir zu seinen Namen.

Wir standen auf. Im Bahnhof Zoo
Nahmen wir Abschied für immer.
«Also, Walter, leb wohl!»
«Das sowieso.»
Auf dem Bahnsteig rief eine Stimme:
«D-Zug Paris!»

Gertrud Kolmar
1894–1943

Der 9. November Achtzehn[54]

Es standen Soldaten da, fremd auf
                                 vertrauten Wegen:
Ihre Augen irrten verstaubt aus Gräben
                                   und Unterständen;
Sie waren schlicht und falb wie Erde,
                                   drin sie gelegen,
Und trugen Schlamm und Frieden an ihren
                                   verkrusteten Händen.

Das blitzende Zeichen war von ihnen
                                   abgerostet
Und alles bunte Geschnipsel auf ihren
                                   Leibern verblichen;
Sie hatten den schäumenden Ruhm, die wider
                                   Neige gekostet,
Sie hatten mit Zeitungsgeschmier ihr kleiiges
                                   Brot bestrichen.

Dann hatte ihr stiller Griff die großen Worte
                                   zerbrochen;
Die lagen wie Trommeln hohl, ein leer
                                   zersprungnes Getöse.

Die protzige Lüge war zerlumpt in den Winkel
                    gekrochen,
Und Deutschland war nicht nur gut, und Frank-
                    reich war nicht nur böse.

Der Sommer wuchs ihnen zu mit Säften und
                    braunen Kernen
Und rollte ungenützt, verfaulte Frucht,
                    von Spalieren;
Sie zogen durch blühenden Schnee in Winternacht
                    mit den Sternen,
Die schweigend tausend Jahr' über blaue Felder
                    marschieren.

Sie pflanzten die Gärten voll Kreuze und säten
                    die Äcker voll Schüsse,
Doch die Sonne blieb ewiglich erstrahlend
                    über dem Morden,
Und «Immerdar» sprachen die Berge, und «Über-
                    all» sangen die Flüsse;
Der Feind schien ganz verwelkt und fast zum
                    Menschen geworden.

Sie stampften in seinem Land und wußten nicht,
                    was sie da sollten.
Sie schickten Kugeln aus und fragten nicht,
                    ob sie trafen.

Sie dachten selten mehr und fühlten nur,
                              was sie wollten:
Die Suppe auf eigenem Tisch und ein Weib und
                              ein Bett zum Schlafen.

Sie stürzten durch wirbelnde Trichter, jäh von
                              Granaten verschüttet,
Belauschten die Tode beim Mahl, die schimmeln-
                              de Leichen fressen,
Erschauten des Wahnsinns Gefletsch,
                              der graue Hirne zerrütte
Und schritten die Tiefen aus... Sie haben
                              alles vergessen.

Sie gehn in den schönen Wald, da leichte
                              Fähnchen sich brüsten,
Den windgeblähten Wald mit wurmdurchnagte
                              Gestängen;
Sie spiegeln in Blankem sich, das blind wird,
                              wenn sie einst rüsten,
Und rufen zu Götzen empor, die Lappen und
                              Lärm behängen,

Und jauchzen dem Schlägelgehüpf aus klap-
                              pernden Knochenstücke
Den Reden, die nichtiger sind als Mittags-
                              summen der Fliege.

Sie haben das Stumme verworfen; sie werden
                        nach ihm sich bücken
Im Kriege.

Walter Mehring
1896–1981

Die Kartenhexe

Sie sagte wahr aus Kaffeesatz
Und nannt' den Mädchen ihren Schatz,
Sie wohnte Mulackstraße sechse,
   Die Kartenhexe!

Sie half manch unerfahrnem Ding,
Wenn's einer mal danebenging –
Das Geld steckt' sie in die Kassette
   In ihrem Bette!

Sie hielt 'nen Goldfisch sich – aus Blech
Und einen Kater, der sich frech
Ergötzt an dem Salatgewächse
   Der Kartenhexe!

Einst kam die Elli, welche schielt,
Die's mit dem blut'gen Tommy hielt,
Und fleht' sie an, daß sie sie rette
   Vorm Wochenbette!

Die Alte, lüstern nach dem Geld,
Hat sie sich abends hinbestellt
Zum Hause Mulackstraße sechse
   Der Kartenhexe!

Nachts klang ein Fall; dann war es stumm –
Der Kater stieg im Zimmer um
Und macht' die leere Geldkassette
  Zu seinem Bette!

Als sich drei Tage niemand rührt,
Fand man wie ein Paket verschnürt,
Auf ihrer Stirn zwei blut'ge Kleckse:
  Die Kartenhexe!

Das Paar blieb kalt auch vor Gericht
Und blieb es – wenn die Wunde nicht
Von neuem frisch geblutet hätte
  Im Totenbette!

Das Recht nahm den gewohnten Lauf,
Die Hölle nahm sie alle auf:
Das Paar selbdritt –
Richter, Henker, Hexe –
  Alle sechse!

Die Ballade vom Highwayman
auf der Hounslowheide[55]

Als einer ausritt, da fielen sechs,
Deren Leiber die Erde beschneiten,
Aus den Adern wuchs ihres Blutes Gewächs,
Um die purpurnen Blüten zu spreiten.

Er aber jagt, in den Sattel gepreßt,
Daß sein Gaul himmelaufwärts sich bäumte,
Um die Ohren pfiff ihm des Waldes Geäst,
Und sein Atem am Munde zerschäumte.

Zwei Tage saß er im Sattel fest,
Ritt immer vom Gestern ins Heute,
Ihm folgte der Leichname faulende Pest
Und gestohlenen Goldes Geläute.

Zwei Nächte saß er beim Fuchs im Versteck,
Bis die Dornen ins Fleisch sich ihm krallten,
Dann ritt er, den Körper gepanzert von Dreck,
Um neue Ernte zu halten!

Was wünschte er mehr und was brauchte er de
Als ein Messer, um Köpfe zu schneiden,
Einen Schnaps und den Beutel von Beute schw
Was wünschte er mehr,

Und was brauchte er denn
Als ein Highwayman
Von der Hounslowheiden!

Bertolt Brecht
1898–1956

Ballade von der Hanna Cash

1

Mit dem Rock von Kattun und dem
                                    gelben Tuch
Und den Augen der schwarzen Seen
Ohne Geld und Talent und doch mit genug
Vom Schwarzhaar, das sie offen trug
Bis zu den schwärzeren Zehn:
Das war die Hanna Cash, mein Kind
Die die «Gentlemen» eingeseift
Die kam mit dem Wind und ging mit dem Wind
Der in die Savannen läuft.

2

Die hatte keine Schuhe und die hatte
                                    auch kein Hemd
Und die konnte auch keine Choräle!
Und sie war wie eine Katze in die große Stadt
                                    geschwemmt
Eine kleine graue Katze zwischen Hölzer
                                    eingeklemmt
Zwischen Leichen in die schwarzen Kanäle.

Sie wusch die Gläser vom Absinth
Doch nie sich selber rein
Und doch muß die Hanna Cash,
Auch rein gewesen sein.   *mein Kind*

3
Und sie kam eines Nachts in die Seemannsbar
Mit den Augen der schwarzen Seen
Und traf J. Kent mit dem Maulwurfshaar
Den Messerjack aus der Seemannsbar
Und der ließ sie mit sich gehn!
Und wenn der wüste Kent den Grind
Sich kratzte und blinzelte
Dann spürt die Hanna Cash, mein Kind
Den Blick bis in die Zeh'.

4
Sie «kamen sich näher» zwischen Wild und Fisch
Und «gingen vereint durchs Leben»
Sie hatten kein Bett und sie hatten keinen Tisch
Und sie hatten selber nicht Wild noch Fisch
Und keinen Namen für die Kinder.
Doch ob Schneewind pfeift, ob Regen rinnt
Ersöff' auch die Savann'
Es bleibt die Hanna Cash, mein Kind
Bei ihrem lieben Mann.

5

Der Sheriff sagt, daß es 'n Schurke sei
Und die Milchfrau sagt: «Er geht krumm.»
Sie aber sagt: «Was ist dabei?
Es ist mein Mann.» Und sie war so frei
Und blieb bei ihm. Darum.
Und wenn er hinkt und wenn er spinnt
Und wenn er ihr Schläge gibt:
Es fragt die Hanna Cash, mein Kind
Doch nur: ob sie ihn liebt.

6

Kein Dach war da, wo die Wiege war
Und die Schläge schlugen die Eltern.
Die gingen zusammen Jahr für Jahr
Aus der Asphaltstadt in die Wälder gar
Und in die Savann' aus den Wäldern.
Solang man geht in Schnee und Wind
Bis daß man nicht mehr kann
Solang ging die Hanna Cash, mein Kind
Nun mal mit ihrem Mann.

7

Kein Kleid war arm, wie das ihre war
Und es gab keinen Sonntag für sie
Keinen Ausflug zu dritt in die Kirschtortenba
Und keinen Weizenfladen im Kar
Und keine Mundharmonie.

Und war jeder Tag, wie alle sind
Und gab's kein Sonnenlicht:
Es hatte die Hanna Cash, mein Kind
Die Sonn' stets im Gesicht.

8

Er stahl wohl die Fische, und Salz stahl sie
So war's. «Das Leben ist schwer.»
Und wenn sie die Fische kochte, sieh:
So sagten die Kinder auf seinem Knie
Den Katechismus her.
Durch fünfzig Jahr' in Nacht und Wind
Sie schliefen in einem Bett.
Das war die Hanna Cash, mein Kind
Gott mach's ihr einmal wett.

Ballade von der Freundschaft

1

Wie zwei Kürbisse abwärts schwimmen
Verfault, doch an einem Stiel
In gelben Flüssen: Sie trieben
Mit Karten und Worten ihr Spiel.
Und sie schossen nach den gelben Monden
Und sie liebten sich und sahn nicht hin:
Blieben sie vereint in vielen Nächten
Und auch: wenn die Sonne schien.

2

In den grünen harten Gesträuchern
Wenn der Himmel bewölkt war, der Hund
Sie hingen wie ranzige Datteln
Einander sanft in den Mund.
Und auch später, wenn die Zähne ihnen
Aus den Kiefern fieln, sie sahen nicht hin:
Blieben doch vereint in vielen Nächten
Und auch: wenn die Sonne schien.

3

In den kleinen räudigen Häusern
Befriedigten sie ihren Leib
Und im Dschungel, wenn daran Not war
Hinterm Strauch bei dem gleichen Weib.
Doch am Morgen wuschen sie die Hemden
Gingen Arm in Arm fort, Knie an Knien
Vereint sie in vielen Nächten
Und auch: wenn die Sonne schien.

4

Als es kälter auf Erden wurde
Dach fehlte und Zeitvertreib
Unter anderen Schlingpflanzen lagen
Umschlungen sie da, Leib an Leib.
Wenn sie reden in den Sternennächten
Hören sie mitunter nicht mehr hin:
Vereint sie in vielen Nächten
Und auch: wenn die Sonne schien.

5

Aber einmal kam jene Insel
Manchen Mond wohnten beide sie dort
Und als sie fort wollten beide
Konnte einer nimmer mit fort.

Und sie sahn nach Wind und Flut und Schiffen
Aber niemals nach dem andern hin
Vereint sie in vielen Nächten
Und auch: wenn die Sonne schien.

6
«Fahr du, Kamerad, denn ich kann nicht.
Mich frißt die Salzflut entzwei
Hier kann ich noch etwas liegen
Eine Woche noch oder zwei.»
Und ein Mann liegt krank am Wasser
Und blickt stumm zu einem Manne hin
Der ihm einst vereint in vielen Nächten
Und auch: wenn die Sonne schien.

7
«Ich liege hier gut! Fahr zu, Kamerad!»
«Laß es sein, Kamerad, es hat Zeit!»
«Wenn der Regen kommt und du bist nicht fort
Faulen wir schwarz zu zweit!»
Und ein Hemd weht, und im Salzwind steht ein
Mann und blickt aufs Wasser hin und ihn
Der ihm einst vereint in so vielen Nächten
Und auch: wenn die Sonne schien.

8
Und jetzt kam der Tag, wo sie schieden!
Die Dattel spuck aus, die verdorrt!
Oft sahen sie nachts nach dem Winde
Und am Morgen ging einer fort.
Gingen noch zu zweit in frischen Hemden
Arm in Arm und rauchend, Knie an Knien
Vereint sie in vielen Nächten
Und auch: wenn die Sonne schien.

9
«Kamerad, der Wind geht ins Segel!»
«Der Wind geht bis morgen früh!»
«Kamerad, ich bitte dich, binde
Mir dort an den Baum meine Knie!»
Und der andre Mann band rauchend fest ihn
Mit dem Strick an jenem Baume ihn
Der ihm einst vereint in vielen Nächten
Und auch: wenn die Sonne schien.

10
«Kamerad, vor dem Mond sind schon Wolken!»
«Der Wind treibt sie weg, es hat Zeit.»
«Kamerad, ich sehe dir nach noch:
Von dem Baum aus sieht man weit.»

Und nach Tagen, als der Strick durchbissen
Schaut er immer noch aufs Wasser hin
In den wenigen und letzten Nächten
Und auch: wenn die Sonne schien.

II

Aber jener, in vielen Wochen
Auf dem Meer, bei der Frau, im Gesträuch:
Es verblassen viele Himmel
Doch der Mann am Baum wird nicht bleich
Die Gespräche in den Sternennächten
Arm in Arm und rauchend, Knie an Knien
Die sie stets vereint in vielen Nächten
Und auch: wenn die Sonne schien.

*Legende von der Entstehung
des Buches Taoteking auf dem Weg des Laotse
in die Emigration*

1

Als er siebzig war und war gebrechlich
Drängte es den Lehrer doch nach Ruh'
Denn die Güte war im Lande wieder einmal
                              schwächlich
Und die Bosheit nahm an Kräften wieder
Und er gürtete den Schuh. [einmal zu.

2

Und er packte ein, was er so brauchte:
Wenig. Doch es wurde dies und das.
So die Pfeife, die er immer abends rauchte
Und das Büchlein, das er immer las.
Weißbrot nach dem Augenmaß.

3

Freute sich des Tals noch einmal und vergaß es
Als er ins Gebirg' den Weg einschlug.
Und sein Ochse freute sich des frischen Grases
Kauend, während er den Alten trug.
Denn dem ging es schnell genug.

4

Doch am vierten Tag im Felsgesteine
Hat ein Zöllner ihm den Weg verwehrt:
«Kostbarkeiten zu verzollen?» – «Keine.»
Und der Knabe, der den Ochsen führte, sprach
Und so war auch das erklärt.   [«Er hat gelehrt

5

Doch der Mann in einer heitren Regung
Fragte noch: «Hat er was rausgekriegt?»
Sprach der Knabe: «Daß das weiche Wasser
                                        in Bewegung
Mit der Zeit den mächtigen Stein besiegt.
Du verstehst, das Harte unterliegt.»

6

Daß er nicht das letzte Tageslicht verlöre
Trieb der Knabe nun den Ochsen an.
Und die drei verschwanden schon um eine
                                        schwarze Föhre
Da kam plötzlich Fahrt in unsern Mann
Und er schrie: «He, du! Halt an!

7

Was ist das mit diesem Wasser, Alter?»
Hielt der Alte: «Intressiert es dich?»

Sprach der Mann: «Ich bin nur Zollverwalter
Doch wer wen besiegt, das intressiert auch mich.
Wenn du's weißt, dann sprich!

8

Schreib mir's auf! Diktier es diesem Kinde!
So was nimmt man doch nicht mit sich fort.
Da gibt's doch Papier bei uns und Tinte
Und ein Nachtmahl gibt es auch: ich wohne dort.
Nun, ist das ein Wort?»

9

Über seine Schulter sah der Alte
Auf den Mann: Flickjoppe. Keine Schuh.
Und die Stirne eine einzige Falte.
Ach, kein Sieger trat da auf ihn zu.
Und er murmelte: «Auch du?»

10

Eine höfliche Bitte abzuschlagen
War der Alte, wie es schien, zu alt.
Denn er sagte laut: «Die etwas fragen
Die verdienen Antwort.» Sprach der Knabe:
                    «Es wird auch schon kalt.»
«Gut, ein kleiner Aufenthalt.»

11

Und von seinem Ochsen stieg der Weise
Sieben Tage schrieben sie zu zweit.
Und der Zöllner brachte Essen (und er fluchte
                                nur noch leise
Mit den Schmugglern in der ganzen Zeit).
Und dann war's soweit.

12

Und dem Zöllner händigte der Knabe
Eines Morgens einundachtzig Sprüche ein
Und mit Dank für eine kleine Reisegabe
Bogen sie um jene Föhre ins Gestein.
Sagt jetzt: kann man höflicher sein?

13

Aber rühmen wir nicht nur den Weisen
Dessen Name auf dem Buche prangt!
Denn man muß dem Weisen seine Weisheit
                                erst entreißen.
Darum sei der Zöllner auch bedankt:
Er hat sie ihm abverlangt.

Ulm 1592

Bischof, ich kann fliegen
Sagte der Schneider[56] zum Bischof.
Paß auf, wie ich's mach!
Und er stieg mit so 'nen Dingen
Die aussahn wie Schwingen
Auf das große, große Kirchendach.
Der Bischof ging weiter.
Das sind lauter so Lügen
Der Mensch ist kein Vogel
Es wird nie ein Mensch fliegen
Sagte der Bischof vom Schneider.

Der Schneider ist verschieden
Sagten die Leute dem Bischof.
Es war eine Hatz.
Seine Flügel sind zerspellet
Und er liegt zerschellet
Auf dem harten, harten Kirchenplatz.
Die Glocken sollen läuten
Es waren nichts als Lügen
Der Mensch ist kein Vogel
Es wird nie ein Mensch fliegen
Sagte der Bischof den Leuten.

Erich Kästner
1899–1974

Ballade vom Defraudanten

Es folgt das Lied von einem Defraudanten.
Er war ein guter Mensch. Denn das kommt vo
Ich hörte es von Leuten, die ihn kannten.
Sperrt eure Ohren auf! Er hieß Franz Moor.

Es hat bekanntlich alles seine Grenzen.
Franz Moor war mittelblond und ohne Arg,
Dazu Kassierer, zog die Konsequenzen
Und flüchtete mit 100 000 Mark.

Bis Brüssel blieb er im Klosett des Zugs.
Dann war er des Französischen nicht mächtig.
Sie war von schlechtem Ruf und gutem Wuchs
Und liebten sich. Er fand sie nur zu schmächti

Das gibt sich alles. – Dann war sie verblüht.
Mit ihr das Geld, das ihm gar nicht gehörte.
Er weinte fast. Denn er war ein Gemüt.
Das war etwas, was ihn direkt empörte.

Als ihm ein Steckbrief in die Augen stach,
Mit seinem Bild – von damals als Gefreiter –
Da blieb er stehn und dachte lange nach.
Dann kam ein Polizist. Und Moor ging weiter

Er sprang ins Wasser, das bei Brüssel floß.
Jedoch vergeblich. Denn er ging nicht unter.
Er trank Lysol, das er in Kognak goß.
Er sprang von einem Aussichtsturm herunter.

Er trieb sich öfters Messer in die Schläfen.
Sechs Kugeln schoß er in den offnen Mund.
Und war verwirrt, daß sie ihn gar nicht träfen!
So tat er manches. Doch er blieb gesund.

Ihm war das peinlich. Und er rang die Hände.
Und er erkannte klar: Er stürbe nicht,
Nur weil er das Französisch nicht verstände.
Anschließend stellte er sich dem Gericht.

Moral:
Da sitzt er nun und deutet damit an,
Daß Bildungsmangel gräßlich schaden kann.
Es ist der Tiefsinn dieses Sinngedichts:
Lernt fremde Sprachen!
Weiter will es nichts.

Anmerkung: Lernt fremde Sprachen!
Eßt deutsches Obst!

Marionettenballade
Zum Leierkasten zu singen

Junger Mann reich und schön,
wollte die Welt besehn...
Schließlich nach Hin und Her
stieß er ans Mittelmeer.
Spanien und Griechenland –
fabelhaft intressant!
Luft und Meer blau durchstrahlt,
wie das so Böcklin malt.
Pinienhain. Säulenrest.
Strandhotel: Wanzennest!
Sonnenglut. Dunkler Wein.
Gräßlich: Al- lein zu sein!
Mutig! denkt junger Mann.
Spricht darauf Dame an.
Er wird rot. Dame lacht.
Bitte schön! Abgemacht!
Glücklich küßt er die Hand:
Zimmer? Nein! Meeresstrand!
Beide sind sehr verliebt.
Nur die Frau denkt betrübt:

Wenn das mein Mann erfährt –
kommt auch schon! Hoch zu Pferd!
Junge Frau hüpft ins Meer,
Ehemann hinterher.
Junger Mann ist verstört:
Findet das unerhört...
Wer das ge- sehen hat,
der hat das Leben satt.
Nahm er sein Schießgewehr –

Junger Mann lebt nicht mehr.

Kurt Schmidt, statt einer Ballade

Der Mann, von dem im weiteren Verlauf
Die Rede ist, hieß Schmidt (Kurt Schm.,
                                              komplett).
Er stand, nur sonntags nicht, früh 6 Uhr auf
Und ging allabendlich Punkt 8 zu Bett.

10 Stunden lag er stumm und ohne Blick.
4 Stunden brauchte er für Fahrt und Essen.
9 Stunden stand er in der Glasfabrik.
1 Stündchen blieb für höhere Interessen.

Nur sonn- und feiertags schlief er sich satt.
Danach rasierte er sich, bis es brannte.
Dann tanzte er. In Sälen vor der Stadt.
Und fremde Fräuleins wurden rasch Bekannte

Am Montag fing die nächste Strophe an.
Und war doch immerzu dasselbe Lied!
Ein Jahr starb ab. Ein andres Jahr begann.
Und was auch kam, nie kam ein Unterschied.

Um diese Zeit war Schmidt noch gut verpackt.
Er träumte nachts manchmal von fernen
                                        Ländern.
Um diese Zeit hielt Schmidt noch halbwegs
                                        Takt.
Und dachte: «Morgen kann sich alles ändern.»

Da schnitt er sich den Daumen von der Hand.
Ein Fräulein Brandt gebar ihm einen Sohn.
Das Kind ging ein. Trotz Pflege auf dem Land.
(Schmidt hatte 40 Mark als Wochenlohn.)

Die Zeit marschierte wie ein Grenadier.
In gleichem Schritt und Tritt. Und Schmidt
                                        lief mit.
Die Zeit verging. Und Schmidt verging mit ihr.
Er merkte eines Tages, daß er litt.

Er merkte, daß er nicht alleine stand.
Und daß er doch allein stand, bei Gefahren.
Und auf dem Globus, sah er, lag kein Land,
In dem die Schmidts nicht in der Mehrzahl
                                        waren.

So war's. Er hatte sich bis jetzt geirrt.
So war's, und es stand fest, daß es so blieb.

Und er begriff, daß es nie anders wird.
Und was er hoffte, rann ihm durch ein Sieb.

Der Mensch war auch bloß eine Art Gemüse,
Das sich und dadurch andere ernährt.
Die Seele saß nicht in der Zirbeldrüse.
Falls sie vorhanden war, war sie nichts wert.

9 Stunden stand Schmidt schwitzend im Betri
4 Stunden fuhr und aß er, müd' und dumm.
10 Stunden lag er, ohne Blick und stumm.
Und in dem Stündchen, das ihm übrigblieb,
Bracht' er sich um.

Die Ballade vom Nachahmungstrieb

Es ist schon wahr: Nichts wirkt so rasch wie Gift!
Der Mensch, und sei er noch so minderjährig,
Ist, was die Laster dieser Welt betrifft,
Früh bei der Hand und unerhört gelehrig.

Im Februar, ich weiß nicht am wievielten,
Geschah's, auf irgendeines Jungen Drängen,
Daß Kinder, die im Hinterhofe spielten,
Beschlossen, Naumanns Fritzchen aufzuhängen.

Sie kannten aus der Zeitung die Geschichten,
In denen Mord vorkommt und Polizei.
Und sie beschlossen, Naumann hinzurichten,
Weil er, so sagten sie, ein Räuber sei.

Sie steckten seinen Kopf in eine Schlinge.
Karl war der Pastor, lamentierte viel
Und sagte ihm, wenn er zu schrein anfinge,
Verdürbe er den anderen das Spiel.

Fritz Naumann äußerte, ihm sei nicht bange.
Die andern waren ernst und führten ihn.
Man warf den Strick über die Teppichstange.
Und dann begann man, Fritzchen hochzuziehn.

Er sträubte sich. Es war zu spät. Er schwebte.
Dann klemmten sie den Strick am Haken ein.
Fritz zuckte, weil er noch ein bißchen lebte.
Ein kleines Mädchen zwickte ihn ins Bein.

Er zappelte ganz stumm, und etwas später
Verkehrte sich das Kinderspiel in Mord.
Als das die sieben kleinen Übeltäter
Erkannten, liefen sie erschrocken fort.

Noch wußte niemand von dem armen Kinde.
Der Hof lag still. Der Himmel war blutrot.
Der kleine Naumann schaukelte im Winde.
Er merkte nichts davon. Denn er war tot.

Frau Witwe Zickler, die vorüberschlurfte,
Lief auf die Straße und erhob Geschrei,
Obwohl sie doch dort gar nicht schreien durfte
Und gegen sechs erschien die Polizei.

Die Mutter fiel in Ohnmacht vor dem Knaben.
Und beide wurden rasch ins Haus gebracht.
Karl, den man festnahm, sagte kalt: «Wir haben
Es nur wie die Erwachsenen gemacht.»

Anmerkung: Der Ballade liegt ein Pressebericht
aus dem Jahre 1930 zugrunde.

Marie Luise Kaschnitz
1901–1974

Die Ballade vom Puppenwagen

Wir können Angestellte nicht mehr halten,
Mein Mann und ich, wir schaffen es allein.
Es gibt ja auch nicht allzu viele Kunden.
Nur in den Abendstunden,
Da kommen oft ein paar aufs Mal herein.

Man kann ja nicht zugleich
Den hier bedienen und den dort,
Und wenn sie warten sollen, gehn sie fort.
Dabei wird man nicht reich.

Ach reich. Es soll ja nur
Ein bißchen besser werden,
Nur daß man weiß warum. Nur eine Spur.

«Sei doch zufrieden», sagt mein Mann,
«Du hast zu essen und wir frieren nicht.
Sieh dir die an,
Die keine Arbeit haben,
Kein Geld, kein Holz, kein Essen und
                     kein Licht…»

Ich bin ja still.
Er weiß doch, was ich will.
Ich spreche nicht davon. Ich muß am Morgen
Aufräumen und bedienen und fürs Essen sorg(
Ich habe keine Zeit, daran zu denken.
Er kann ja nichts dafür.
Ich will ihn auch nicht kränken.

Doch oft, wenn ich die Stoffe wieder falte,
Die Bänder rolle, oftmals kommt es so,
Daß ich da einen kleinen Rest behalte,
Dann bin ich froh.
Den leg' ich immer
In eine Schachtel, dort im Hinterzimmer.
Muß heimlich gehen.
Mein Mann darf es nicht sehen.

Wenn er zu tun hat, stehl' ich mich dahin,
Und kann mich manchmal zwei Minuten setz(
Ich spiele mit den kleinen, hellen Fetzen,
Dann glaube ich zu sein, was ich nicht bin.

Man kann sie ja auch sonst nicht mehr verwen(
Es hat doch jeder seinen Zeitvertreib –
In meinen Händen
Sind sie nicht tot. Sie schmiegen sich,
Von mir geformt, um einen kleinen Leib.

Lacht nicht, daß meine Hände beben,
Wenn ich die Seidenschleifen wieder binde –
Es ist der Leib von meinem kleinen Kinde,
Den trag' ich in mir, doch es darf nicht leben.

Weiß steht ihm gut. Doch besser noch
Das blaue Band zu seinem hellen Haar…
Ich höre, wie die Ladenglocke gellt,
Der weiche Stoff in meiner Hand zerfällt.
Es ist ja alles gar nicht wahr.

Es gibt so viel zu tun. Wir sind allein,
Ich bin nicht eine, die sich gleich beklagt.
Aber einmal habe ich ihn gefragt,
Und er sagte: «Nein.»
Das kann nicht sein.

Wenn Kinder in den Laden kommen,
Dann schenkt er ihnen oft ein buntes Band.
Sie geben ihm die Hand,
Mir nicht.
Ich weiß es, mein Gesicht
Ist hart und dumpf, und drauf ist eingegraben:
«Warum darf *mein* Kind nicht das Leben haben?»

Einmal haben wir da gesessen
Im Hinterzimmer und gegessen.

Und weil ich stumm geblieben bin,
Sagt er: «Schlag dir doch das aus dem Sinn.
Solang wir leben, wird's nicht besser gehen.
Ich will keine Kinder, um sie verhungern
                                    zu sehen.»

Später hat er mich trösten wollen
Und hat gelacht.
«Wenn das Christkind kommt», hat er gesagt,
«Bringt es dir einen Puppenwagen
Und eine Puppe, die kannst du tragen.
Bei deinem Bett soll der Wagen stehen,
Dann kannst du auch nachts dein Kind anseh
Das weckt dich nicht früh,
Das macht keine Müh',
Weil's zu trinken nicht will,
Das schaut so zufrieden und still…»
Und dann hat er wieder gelacht.

Da bin ich aufgewacht
Und wollte ins Gesicht ihm schlagen
Und hab' gezittert und geweint…

Da hört' ich ihn noch einmal sagen:
«Wär' das nicht nett – ein Puppenwagen»,
Und wußte, er hat es nicht bös gemeint.